P9-DCC-369

EL AÑO DEL DILUVIO

EDUARDO MENDOZA

EL AÑO DEL DILUVIO

Seix Barral Biblioteca Breve

Cubierta de Francis Closas

Primera edición: abril 1992
Segunda edición: mayo 1992
Tercera edición: septiembre 1992
Cuarta edición: diciembre 1992
Quinta edición: octubre 1993
Sexta edición: enero 1994
Séptima edición: septiembre 1994

Córcega, 270 - 08008 Barcelona

ISBN: 84-322-0665-2

Depósito legal: B. 31.987 - 1994

Impreso en España

1

En los años cincuenta de nuestro siglo vivía en la localidad de San Ubaldo de Bassora (provincia de Barcelona) un hombre muy rico llamado Augusto Aixelà de Collbató. Era el último descendiente de una antigua estirpe de terratenientes, cuya laboriosidad, sensatez y tesón habían hecho posible que un apellido noble y una fortuna considerable llegasen hasta él, para extinguirse previsiblemente a su muerte, ya que en las fechas en que se inicia este relato y aunque su edad corría parejas con el siglo, permanecía soltero. El grueso de su fortuna provenía de una finca de casi 300 hectáreas, situada a caballo entre los términos municipales de San Ubaldo (más tarde asimilado al de la ciudad de Bassora) y de Santa Gertrudis de Collbató, de donde provenía una de las ramas del tronco familiar; en dicha finca, conocida en todo el contorno por el apelativo de «casa Aixelà», se asentaba la vivienda ancestral de esta ilustre familia; el resto de la finca estaba dedicado a la explotación forestal y a tierras de sembradura donde crecían la avena y la alfalfa, aunque, en los años inmediatamente posteriores a la guerra civil, una parte de aquéllas había sido reconvertida en viñedos, de los cuales se obtenía un vino de muy baja calidad, áspero y cabezón, que se vendía a granel en las bodegas de Bassora para consumo de la clase trabajadora. Una tarde de verano, bajo un sol terrible, por la cuesta que conducía a la finca subía resoplando una monjita. Antes de rematar la cuesta se detuvo unos instantes para recobrar el aliento y para hacer acopio de valor, porque temía ser mal recibida. En lo alto de la loma el camino moría al chocar con el muro de cerca que protegía la finca; a los pies de la loma estaba el pueblo de San Ubaldo, que apenas contaba a la sazón unas mil almas, y más allá, la mole del Hospital, el cauce seco del río y la carretera que, proveniente de Bassora, cruzaba el pueblo y continuaba hacia Collbató, para enlazar allí con la carretera general de Barcelona. A aquella hora el pueblo parecía abandonado: nadie circulaba por sus calles irregulares, cuyo trazado seguía el cauce de antiguas rieras o los deslindes de fincas desaparecidas. La cancela estaba abierta de par en par cuando la monjita llegó ante ella. Buscó algún modo de anunciar su presencia y al cabo de un rato, no habiendo visto timbre ni campana ni persona alguna a quien dirigirse, franqueó la entrada con paso decidido. Se encontró en el arranque de un sendero ancho y sinuoso, bordeado de altos tilos, mirtos y adelfas; el jardín, espeso y sombrío, ocultaba la casa y los edificios auxiliares que integraban la parte habitada de la finca. Tanto la grava del sendero como las plantas y los árboles del jardín parecían cuidados con esmero, pero no se veía ni oía a nadie; reinaba el silencio opaco de las horas más sofocantes del verano. La monjita se adentró en el sendero; había avanzado unos metros cuando aparecieron por una revuelta, como si hubieran estado al acecho tras los arrayanes, dos perros enormes. Su aspecto era amenazador; la monjita se detuvo, cerró los ojos y musitó: Ave María Purísima. Con los ojos cerrados oía el jadeo de los perros y sentía el contacto de sus hocicos contra el hábito. De pronto sonó una voz que se acercaba gritando: ¡León! ¡Negrita! ¡Estarse quietos! Abrió los ojos y vio una mujer que corría por el sendero repitiendo a voces: ¡León! ¡Negrita! ¡Aquí! Los perros continuaron olisqueando el hábito, gruñendo y mostrando unos dientes espantosos. La mujer llegó junto a ellos, les dio unas palmadas en los lomos sin contemplaciones y dijo: No tenga miedo, hermana, no le harán nada. Era gorda y risueña, de mediana edad; llevaba un delantal blanco salpicado de sangre. La monjita repitió la salutación en voz más alta y la mujer le preguntó en qué podía servirla. La monjita dijo que deseaba ver al señor Aixelà, si éste se encontraba en casa y podía recibirla. Como estar, está, dijo la guardesa, pero no sé si podrá recibirla; lleva desde la mañana encerrado en el despacho con el administrador y ha dejado dicho que no le molestemos. La monjita asintió. Dígale por favor que soy la Superiora de las hermanas de la Caridad, las que se ocupan del Hospital, dijo; luego agregó con una sonrisa forzada: Y si no le importa, llévese de aquí a los perros o lléveme a mí donde yo no los vea.

Entre los tilos crecían algunos cipreses altísimos; en las ramas de un árbol se puso a cantar inopinadamente un jilguero. Los perros seguían a las dos mujeres retozando; habían depuesto su actitud hostil y parecían deseosos de jugar, pero la monjita procuraba no perderlos de vista. La casa era una antigua construcción de piedra, irregular, alargada, con tejado a dos aguas, puerta de arco y ventanas rectangulares, altas y angostas como troneras. Sobre la puerta había un reloj de sol y en el dintel, una fecha grabada que en el curso de los siglos se había vuelto ilegible. En la explanada que dejaba el sendero frente a la casa, una encina proyectaba su sombra sobre un camión desvencijado, pintado de verde. Por el borde de la caja vacía del camión un gato asomaba la cabeza. La mujer explicó a la monjita que el camión y el gato eran del administrador. Luego dijo: Pero el amo no quiere que el gato entre en la casa, porque es travieso y podría romper algún objeto de valor. No tenga miedo de que el gato se baje del camión mientras estén aquí estos dos, añadió señalando a los perros. Se esmeraba por mostrarse cortés con la monja y borrar la mala impresión que debían de haberle causado los perros. No son malos de natural, le había dicho mientras caminaban por el sendero, pero están para guardar la finca y cumplen su trabajo sin hacer distingos. Ya sabe usted lo mal que andan las cosas por esta zona, había añadido en tono confidencial. La monjita no lo sabía, pero se abstuvo de confesarlo; era nueva en la región y en el cargo que desempeñaba. Se esforzaba por que su silencio no pareciera altivo: no quería coaccionar a aquella mujer buena y sencilla. Sin embargo la cancela estaba abierta, había dicho al fin por decir algo. La guardesa había asentido: El amo dice que no son las puertas lo que arredra a los ladrones, sino el temor a lo que hay tras ellas. En ángulo recto con la casa, pero desprendido de ella, había un cobertizo, del que salió un hombre joven, vestido con un mono azul y enarbolando un bieldo de madera clara. De los labios le colgaba una colilla. Al ver a la monja apoyó la herramienta en el suelo, se quitó la boina y se quedó mirándola con expresión estúpida y atemorizada. Los perros se tumbaron al sol, jadeando y babeando; uno de ellos se revolcaba en el polvo. Qué animales más tontos, pensó la monjita mientras cruzaba la puerta de la casa. En contraste con la luminosidad exterior, el zaguán parecía sumido en tinieblas. Espere aquí, hermana, dijo la mujer.

Cuando se hubo acostumbrado a la oscuridad vio que todo el mobiliario consistía en un perchero, cuatro asientos de anea y un arcón taraceado, viejo y tosco, de los que llaman arcas de novia. Era una pieza bien poco acogedora. La guardesa no tardó en reaparecer por donde se había ido y dijo con cara compungida: Lo siento mucho, hermana, el amo no puede recibirla hoy; dice que si desea hablar con él, que vuelva el jueves a esta misma hora. De veras que lo siento, añadió en voz muy baja. No, dijo la monjita, yo he sido inoportuna al venir sin previo aviso y usted ha hecho todo lo posible. Se lo agradezco mucho.

El día convenido la monja regresó a la finca y se repitió la escena de los perros junto a la cancela, pero esta vez no se detuvo; los miró fijamente a los ojos y mascculló: ¡León! ¡Negrita! ¡Quietos! Luego echó a andar sendero adelante hasta que ambos perros se interpusieron en el camino con la boca abierta y de este modo pusieron fin a su proeza. La guardesa, que acudió a rescatarla cuando ya había reculado hasta el seto de brezo que corría a lo largo de la tapia, la reconvino: Ay, hermana, no vuelva a hacer lo que ha hecho, si le saltan al cuello la pueden matar de una dentellada. Y añadió: Cuando la conozcan será distinto. ¿Cuando me conozcan?, pensó la monjita. Don Augusto Aixelà de Collbató la recibió en su despacho, le ofreció un refresco y le presentó sus excusas por lo ocurrido unos días antes. Me encontró enfrascado en asuntos engorrosos que habían de ser resueltos sin demora, dijo, aunque la hubiera recibido no habría podido dedicarle el interés que sin duda requiere lo que la trae a esta casa. En aquella alocución solemne la monja creyó advertir un deje de sarcasmo. Sólo sacará de mí buenas palabras, hermana, parecía ser el mensaje que encubría aquel circunloquio. Se trata en efecto de algo importante, dijo con firmeza. Augusto Aixelà la miró fijamente. Era alto y enjuto y su porte, a pesar de la edad, conservaba buena parte de la antigua desenvoltura juvenil; tenía el cabello negro y las arrugas que le cruzaban la frente no parecían producidas por el paso de los años, sino por una actitud perenne de divertida perplejidad. Afectaba aires de cacique sin demasiado convencimiento: en los últimos tiempos había llegado a la conclusión de que éste era el papel que le correspondía desempeñar de buen o mal grado; en realidad le habría gustado ser un intelectual madrileño, culto, engolado y epigramático, pero el destino le había hecho nacer y vivir en una Cataluña provinciana, alicaída y sin norte. A esta situación, dicho sea de paso, él había contribuido en la medida de sus posibilidades, pues apenas iniciada la guerra civil y siguiendo los imperativos de su elevada cuna y rectitud de ideas, había corrido a poner su persona y sus bienes al servicio de nuestro invicto caudillo, el generalísimo Franco. Más tarde, finalizada la contienda, las circunstancias y su propia indolencia se habían conjurado para reducirlo al estado en que se encontraba ahora. Como era rico y soltero y además atractivo, simpático y muy reservado para sus cosas, las malas lenguas le atribuían idilios y aventuras con mujeres de diversa edad, estado y condición. La monja dijo: En realidad no me debe usted ninguna excusa: yo vine sin concertar previamente la entrevista, cosa que no se ha de hacer; lo cierto es que no se me ocurrió ningún medio de ponerme en contacto con usted. Sin embargo, hay varios, dijo él, ¿de veras no le apetece algún refresco? La monja se miró las manos sin saber qué responder a este ofrecimiento: quería evitar todo lo que pudiera dar a su presencia allí aspecto de visiteo, pero también quería evitar cualquier ostentación de austeridad, cualquier referencia petulante a su categoría religiosa. Puesto que insiste, tomaré un vasito de agua, dijo al cabo de un rato. Augusto Aixelà se rió. No subestime mi hospitalidad, hermana; haré que le traigan una limonada; los limones de la finca son tan dulces que no hay que ponerle azúcar a la limonada, ya verá cómo le gusta. Mientras salía a dar las órdenes pertinentes la monjita permanecía sentada al borde de una silla con las manos cruzadas sobre el regazo y la espalda muy tiesa. Sin mover la cabeza iba recorriendo el gabinete con los ojos: miraba la disposición del mobiliario y los adornos. Las persianas estaban echadas y los visillos corridos; aquella penumbra creaba cierta sensación de frescor, pero también daba un aire fúnebre a las cosas. A diferencia del zaguán, el gabinete estaba amueblado y decorado en exceso. En las paredes había cuadros grandes, oscuros, con marcos abigarrados, y grabados pequeños, y ménsulas doradas que sostenían tallas de madera carcomida. Todos aquellos objetos parecían tener un gran valor y algunos eran extraordinariamente feos. Los muebles eran pesados, antiguos y se veían desvaídos y en mal estado, aun en aquella imprecisa claridad que lo uniformaba todo. Veamos ahora qué asunto es ése tan importante, dijo Augusto Aixelà una vez se hubo sentado de nuevo en la silla giratoria, detrás de su mesa de despacho. Miraba fijamente a la monjita con intención de amedrentarla: era cortés de natural, pero sin duda esperaba oír suspiros, balbuceos y lamentaciones y esta perspectiva le exasperaba. La monja empezó diciendo que hacía poco menos de un mes había sido nombrada Superiora de la comunidad que tenía a su cargo el Hospital. Al decir esto señaló con el dedo hacia un punto de la pared, en la dirección en que creía que se encontraba el Hospital. El cacique hizo un gesto de asentimiento: conocía de sobra el Hospital, un edificio arcaico y ruinoso, con aspecto de castillo, por cuyas falsas almenas asomaba de cuando en cuando el rostro cerúleo de algún enfermo desahuciado. El Hospital ocupaba un desmonte junto al cauce de un arroyo seco. Del lado de poniente se extendía una alameda que también pertenecía al Hospital y de cuya explotación sacaba éste los magros ingresos que, unidos a la ayuda desganada del obispado y algún legado esporádico, le permitían subsistir precariamente. Augusto Aixelà buscó instintivamente con la mirada el talonario de cheques; todos los años contribuía con su limosna a la generosa labor del Hospital, pero siempre en fechas fijas: Nochebuena y Jueves Santo; ésta era una regla que no estaba dispuesto a modificar. La monjita, sin embargo, se tomaba su tiempo. Si lo conoce, dijo al fin, no hará falta que le explique en qué situación se encuentra: el edificio se desmorona literalmente y las instalaciones son de los tiempos del Cid; las monjas que lo atienden, incluida la Superiora, no tienen ni idea de medicina; si yo cayera enferma, no desearía que me llevaran allí. Augusto Aixelà creyó advertir en la exposición de la monja un deje de picardía que despertó su interés.

Miró a la persona que le hablaba en aquella postura falsamente modosa: la toca enmarcaba un rostro de facciones regulares, risueño y sonrosado. No debe de ser tan joven como parece si ha llegado a superiora de la comunidad, pensó, y es menos tonta de lo que ella pretende aparentar: pura mojigatería. La monja permanecía con los ojos fijos en el pavimento, pero a medida que hablaba iba abandonando su apariencia dócil y su voz adquiría un timbre metálico que delataba un carácter autoritario e impaciente. Por fortuna, continuó diciendo, todos los defectos del Hospital se verán pronto remediados, porque el Estado, es decir, la seguridad social, va a levantar un nuevo hospital no muy lejos del nuestro. Este hospital, el nuevo, quiero decir, estará dotado de los últimos adelantos y, por supuesto, de un personal sumamente competente. Cuando esto suceda, el viejo Hospital y su tripulación se irán a pique, por esto he venido a verle. Augusto Aixelà esbozó una sonrisa fría; también estaba informado de la inminente construcción del nuevo hospital de Bassora. Bassora distaba ocho kilómetros escasos de San Ubaldo y era una ciudad industrial de casi treinta mil habitantes, en pleno proceso de expansión. No me interesa comprar el terreno, dijo; la monja reaccionó vivamente. Ni yo podría vendérselo aunque quisiera, replicó, porque no estoy autorizada para ello, pero no se trata de vender nada; descruzó las manos que había mantenido cruzadas sobre el regazo y las colocó en el borde de la mesa; sus gestos eran enérgicos y algo viriles; mire, señor Aixelà, dijo, se me ha ocurido transformar el viejo Hospital en un centro asistencial; por supuesto, esto no significa nada para usted; me refiero a un asilo de ancianos. Tragó saliva y continuó diciendo: Déjeme que le cuente mi proyecto, no le robaré mucho tiempo. Augusto Aixelà hizo un gesto de aquiescencia con la cabeza. El problema de los ancianos es grave y cada vez lo será más, añadió la monjita; hasta hace poco las familias se ocupaban de los viejos, los abuelos vivían con sus hijos casados y con sus nietos, esto se acabó. Hoy en día la gente joven se va a trabajar a las ciudades, incluso al extranjero, no pueden llevarse consigo a los viejos, y aunque pudieran y quisieran, ¿dónde los meterían? Antes las casas eran grandes, ahora los pisos son pequeños, apenas si cabe un matrimonio con dos hijos, el servicio doméstico ha desaparecido, la vida es cada día más cara. Los ancianos son un engorro y las familias, es un caso triste, procuran quitárselos de encima; en estos momentos ya hay aquí, en el pueblo, dos octogenarios que viven solos, en Barcelona su número debe de ser elevadísimo, sin duda alguna. Estas personas están desatendidas, expuestas a todo tipo de accidentes, obligadas a valerse por sí mismas precisamente cuando más necesitan de atención. El sistema médico no puede hacer nada por ellas: si se caen y se rompen un hueso, las escayolan y las devuelven a sus casas; si padecen una afección, les recetan unas medicinas que luego ellas no saben cómo administrarse y que indefectiblemente se olvidan de tomar; los viejos han de comprarse su comida, cocinarla, adecentar la casa, lavar la ropa, pero la mayoría de ellos ni siquiera pueden vestirse solos para salir de casa, algunos necesitan más de una hora para hacer algo tan simple como atarse los zapatos, incluso levantarse de la cama les supone un gran esfuerzo; dormitan durante el día, pero por las noches no logran conciliar el sueño, cualquier ruido les asusta, rezan el rosario una y otra vez y cuentan los minutos que faltan para que salga el sol. Podría darle más detalles, pero no quiero parecer truculenta. Calló y recuperó el recogimiento que había abandonado momentáneamente. Entonces advirtió que había una persona a su lado y dio un respingo. Era la guardesa que la había salvado por dos veces de los perros y que ahora le traía un vaso de limonada en una bandeja de alpaca. Qué bien habla usted, hermana, exclamó la guardesa. Déjanos solos, Pudenciana, dijo Augusto Aixelà. La guardesa depositó la bandeja en la mesa y se marchó haciendo mohínes. No le gusta que la llamen Pudenciana, aunque es su verdadero nombre, explicó Augusto Aixelà cuando se hubieron quedado solos nuevamente. La monja se bebió la limonada de un trago, dejó el vaso sobre la bandeja, suspiró y guardó un silencio que rompió Augusto Aixelà para decir: Continúe, hermana, la estoy escuchando. La monja prosiguió en un tono menos emotivo. La reconversión del Hospital no es cosa sencilla, dijo, habría que reparar los desperfectos, acondicionar las habitaciones, cambiar el sistema de calefacción, la conducción de agua, los baños y las cocinas, una inversión de cierta envergadura, como puede suponer; he hablado de mi proyecto con varias personas: con el señor alcalde, con el secretario del gobernador civil, que tuvo la amabilidad de recibirme, y con una persona próxima al obispado; todos me han escuchado con sumo interés y han encontrado muy acertada la idea, incluso loable, pero nadie ha mostrado la menor inclinación a participar en el proyecto de una manera tangible; estoy hablando, por supuesto, de apoyo financiero. Ya no me queda ninguna puerta a la que llamar, señor Aixelà.

Augusto Aixelà reflexionó un rato y luego, con el mismo aire de seriedad con que había venido escuchando la exposición de la monja, preguntó: ¿Cómo se llama usted, hermana? Ella respondió que se llamaba sor Consuelo. Él se la quedó mirando y le preguntó si con este nombre firmaba cheques y aceptaba letras de cambio, ella sonrió. No, para las transacciones mercantiles he de usar mi nombre civil, dijo. Pues dígamelo, apremió Augusto Aixelà. No sé si puedo, respondió la monjita. Puede y debe, replicó él, si no me equivoco estamos iniciando una transacción mercantil, salvo que todo esto sea un plan encaminado a la eterna salvación de mi alma. Ahora fue sor Consuelo quien se rió. Oh, no, esto pertenece a la jurisdicción del cura párroco; yo sólo pretendo llevarlo al cielo por la vía indirecta, ¿ha dicho usted que estamos iniciando una transacción mercantil? Sí, pero no que vayamos a llevarla a término, y todavía no me ha dicho su nombre. Constanza, Constanza Briones, susurró la monja. No es un nombre para ruborizarse, dijo él. ¿Me he ruborizado?, preguntó. Sí. Habrá sido la limonada, dijo ella. No diga mentiras, Constanza Briones, o se tendrá que ir a confesar, dijo él. Sor Consuelo adoptó un tono grave, como si quisiera cambiar el cariz festivo que tomaba la conversación. ¿Me ayudará?, preguntó. No lo sé, ni siquiera sé lo que me está pidiendo que haga, no creo que se trate de una limosnita, ¿ha hecho números?, dijo él. La monja respondió: A ojo de buen cubero; no los llevo encima, pero se los puedo enviar. Tráigalos usted misma y los miraremos con calma, mañana estaré ocupado todo el día, venga el sábado por la tarde, dijo él.

2

Encontró como siempre la cancela abierta. Al otro lado del muro estaba el mozo que días atrás había visto saliendo del cobertizo: ahora llevaba un sombrero de paja de alas muy anchas y con unas tijeras podaba el seto de brezo. La monjita le saludó y él respondió interrumpiendo la labor y quitándose el sombrero con gran deferencia, pero cuando acudió la perrada ladrando y haciendo amagos de atacarla no se inmutó, volvió a cubrirse con parsimonia, dio la espalda a la escena y continuó repartiendo tijeretazos. Debe de ser un idiota de los que nunca faltan en las fincas grandes, pensó la monjita, hacen todas las labores subsidiarias, son muy fieles y cumplidores, pero no se puede contar con ellos para nada. Mientas tanto los perros cumplían su cometido con fiereza rutinaria; ladramos, brincamos y hacemos ver que mordemos para ganarnos la vida, parecían decir. Pudenciana la condujo al gabinete del señor Aixelà, en el cual no había nadie. El señor no tardará en venir, dijo la guardesa. Ya sé que no le gusta su nombre, pero dígame cómo puedo llamarla, dijo la monja. Usted puede llamarme como quiera, hermana, respondió la guardesa. ¿Cómo la llaman los demás? Pudenciana reflexionó un rato. Casi todos, la Pelona, dijo finalmente. Es un extraño arreglo, comentó sor Consuelo, pero si a usted le conviene, por mí está bien. Así me bautizaron, dijo Pudenciana de un modo algo incoherente. En el gabinete reinaba la misma penumbra de la vez anterior, pero ahora sor Consuelo percibía además un olor peculiar, mezcla de polvo, madera y agua de colonia. Cuando Pudenciana la dejó sola, empezó a pasear por el gabinete sin soltar la carpeta que había traído; examinaba con curiosidad aquellos objetos tan valiosos como estrafalarios y acabó deteniéndose ante uno de ellos: era una talla de madera de unos dos palmos de altura y sin duda representaba la figura de un santo, aunque su cuerpo era algo deforme, retorcido como si la figura se hubiera tallado sobre un sarmiento; el borde inferior de la estatua conservaba restos de pintura, tiznones de un granate desvaído; uno de los brazos se había roto, el otro sostenía una cosa rectangular que parecía una caja de bombones. El santo tenía la barba rala, los ojos entornados y la mirada extraviada, como la de un beodo. En conjunto movía más a risa que a piedad; la monja se encogió de hombros: no entendía de arte ni quería entender, le parecía mal que los objetos de piedad se hubieran convertido en piezas de museo y en artículos suntuarios. Es una talla del siglo XI, quizá anterior, dijo una voz a sus espaldas. Sor Consuelo dejó caer la carpeta al suelo y Augusto Aixelà se agachó de inmediato, la recogió y se la reintegró a su dueña. Lo siento, murmuró, no era mi intención asustarla. No le oí entrar, dijo ella, ni siquiera me di cuenta de que se abría la puerta. No se ha abierto ninguna puerta, dijo Augusto Aixelà, pero no tema: no he entrado a través de la pared, sino apartando aquella cortina; en cuanto a la talla, proviene, según me han dicho, de Saint-Martin-de-Canigou, y es uno de los muchos tesoros que salieron de Francia durante la guerra; representa un apóstol, quizá san Simón, aunque eso es difícil de precisar, porque como usted sabe los atributos que identifican a cada apóstol no se incorporaron a la iconografía hasta el siglo XIV; lo más probable, sin embargo, es que se trate de una falsificación. Venga, añadió señalando de nuevo la cortina por la que había entrado en el gabinete. Seguido de la monja, separó la cortina y salió a una galería que corría a lo largo de la fachada trasera de la casa, a resguardo del sol. Ante la galería se abría un jardín algo rústico, en el que crecían una higuera copuda y vetusta y una acacia. Bajo la higuera se veía una mesa redonda de mármol y hierro forjado, sin duda en desuso. Encima del mármol había reventado una breva madura, sobre cuyos restos zumbaba un enjambre de moscas. Diré que le traigan la limonada, dijo él, y atajando un gesto de protesta añadió: Dar de beber al sediento es una obra de misericordia, no me impida practicarla. En su voz no había asomo de sarcasmo, de modo que la monja sonrió. Él le indicó por señas que se sentara en una de las dos butaquitas de mimbre que había en la galería. La monja se sentó y él desapareció en el interior de la casa. Una brisa tibia traía hasta allí el perfume de la higuera. Sor Consuelo suspiró: al fondo del jardín, separado por un muro de cipreses recortados, se adivinaba un huerto; en el centro del huerto había una alberca y más allá, donde acababa aquél, el terreno ascendía en bancales sembrados de vides. Desde su puesto de observación alcanzaba a ver los racimos. Abstraída por el espectáculo, volvió a sobresaltarse cuando advirtió que Augusto Aixelà estaba de nuevo a su lado. Me estoy comportando como una colegiala, pensó, pero dijo: Qué agradable lugar. Sí, dijo él, aquí suelo pasar las tardes de verano, cuando me lo permiten mis obligaciones. Es en efecto una hermosa finca, no sólo en el sentido literal de la palabra: quiero decir que es una finca bien explotada, con verdadero talento; puedo afirmarlo sin sonrojo, porque ya era así cuando la heredé; yo me he limitado a conservarla y a seguir la pauta que marcaron mis antepasados. Inspiró hondamente y agregó: Amo esta finca más que a nada en el mundo, pero cuando yo me muera, ¿a dónde irá a parar? La monja le miró con inquietud: venía dispuesta a exponer sus problemas, no a escuchar los del prójimo. Antes de que pudiera decir nada, sin embargo, el cacique hizo ademán de apartar un insecto que revoloteaba ante sus ojos; luego miró a la monja y sonrió alegremente, como si con aquel ademán hubiera ahuyentado también la melancolía. ¿Procede usted del medio rural, hermana?, preguntó. La pregunta había sido hecha con delicadeza y sor Consuelo asintió. En efecto, dijo, mis padres eran labriegos acomodados, gente sin instrucción ni refinamiento, pero honrada a carta cabal y temerosa de Dios. Gracias a su esfuerzo y comprensión pude estudiar para entrar en religión, dijo, y más tarde, aportar la dote a la orden. Entretenidos en esta conversación los encontró Pudenciana, que traía la bandeja con la limonada. Mientras se la bebe, dijo Augusto Aixelà cuando la guardesa se hubo retirado, echaré un vistazo a esos números. Déjeme que yo se los muestre, dijo ella. No, replicó él, a menudo los números son más claros que las palabras, y menos vehementes; usted beba y descanse; después de la caminata, con este calor y con estos hábitos disparatados, no sé cómo no se ha desmayado todavía. Sor Consuelo no respondió; en aquel momento se sentía embargada de una ligereza inexplicable, rayana en la embriaguez, como si el bienestar y la paz de que allí se disfrutaba y la mansedumbre del paisaje, en contraste con la aridez del camino que acababa de recorrer, hubieran desequilibrado sus sensaciones. Miró en dirección opuesta y vio, al otro extremo de la galería, un papagayo encadenado a un aro; se volvió hacia Augusto Aixelà para comentarle la presencia de aquel ave insólita, pero él se había puesto unas gafas de montura de alambre y parecía absorto en el contenido de la carpeta. La monja se levantó y fue a examinar de cerca el papagayo: nunca había tenido ocasión de ver uno de carne y hueso; ahora le parecía extraño e inquietante: el pico y las garras eran fuertes y amenazadores, los ojos redondos tenían una fijeza demente y maligna, pero el plumaje era tan suave y vistoso que desvirtuaba el peligro manifiesto en sus rasgos y convertía al animal en un objeto de lujo. Aquella mezcla heterodoxa fascinaba a la monjita. No habla, pero puede hablar, dijo Augusto Aixelà;

ella se alteró al saberse observada y se volvió hacia el lugar de donde procedía la voz. Augusto Aixelà seguía sentado, con la carpeta abierta sobre las rodillas; no se había quitado las gafas y ahora los cristales de aumento agrandaban sus ojos hasta convertirlos en dos circunferencias vidriosas que remedaban la mirada inhumana del papagayo. Nunca había visto ninguno, dijo la monja penosamente, como si se sintiera obligada a justificar su curiosidad; él dejó la carpeta y las gafas sobre la mesita que había junto a los sillones y se reunió con ella; el papagayo, al verse observado, ahuecó las plumas, abrió el pico y emitió un bocinazo estridente. La persona que me lo regaló me contó que provenía, como todos los de su especie, de las selvas amazónicas, dijo Augusto Aixelà, allí son capturados y enviados a Europa en barcos de carga; durante la travesía aprenden a repetir lo que dice la marinería: una sarta de reniegos y obscenidades que luego abochornan a sus dueños, porque lo que han aprendido por azar ya no lo olvidan nunca; este bicho, en cambio, no aprendió nada, quizá porque viajaba en algún lugar apartado, a donde no llegaban las voces humanas; ahora debería enseñarle algo, pero no tengo tiempo ni afición: soy un pésimo pedagogo. La monja abandonó la contemplación del papagayo y ambos volvieron a sentarse en sus respectivas butacas; allí permanecieron callados, con la mirada fija en la distancia, como si estuvieran pasando revista al huerto y los viñedos. Finalmente dijo la monjita: ¿Qué opina usted? Augusto Aixelà se volvió muy despacio hacia su interlocutora. Sólo he podido echar un vistazo al proyecto, pero puedo asegurarle que los números no cuadran, dijo. ¿Con qué?, preguntó ella. Con sus intenciones, replicó él, o con la realidad; usted habla aquí de dos millones de pesetas, pero a mi juicio para lo que se propone hacer se necesitaría una suma muy superior, cuatro millones, quizá cinco o más, no sé; ¿de dónde ha sacado estas cifras? Oh, de aquí y de allá, respondió la monja evasivamente. Son ilusorias, dijo él, ilusorias e incompletas; para empezar, no ha incluido en el presupuesto el costo de la mano de obra. No, porque pensé que eso no tenía importancia, se apresuró a decir la monja, en realidad nosotras mismas podríamos hacer el trabajo, eso no nos arredra. Augusto Aixelà la miró con irritación. No les arredra porque no saben lo que es, exclamó; sor Consuelo se quedó perpleja y él continuó diciendo: Soy hombre de pocas convicciones, pero la experiencia me ha enseñado a respetar el trabajo humano sobre todas las cosas; usted habla de él con ligereza porque quizá confunde trabajo y esfuerzo: no cometa este error; el trabajo es esfuerzo, pero también es sabiduría y constancia; no es aplicar la fuerza bruta a la materia, sino saber qué se quiere hacer y por qué y cómo hay que hacerlo y luego llevar a cabo esa obra con fatiga, con inteligencia y con amor, aplicando en cada gesto la herencia de varios siglos de dedicación y propósito. Se levantó y dio un corto paseo por la galería ante los ojos atónitos de la monja; luego, cuando parecía que ya no deseaba agregar nada más, se detuvo y extendió el brazo hacia la colina. Vea este huerto y aquellos viñedos, dijo, aquí la tierra es árida y las lluvias traicioneras, pero crecen porque los sustenta un sistema muy ingenioso y complicado de aljibes, acequias y esclusas que regulan el riego, un sistema tan antiguo que nadie sabe quién lo ideó ni quién lo llevó a cabo ni cuándo, por más que todo lo referente a la finca está documentado desde hace más de seiscientos años. Todo lo que se ve y lo que no se ve: los bancales, la casa, la limonada que acaba de beberse y yo mismo somos hijos de este esfuerzo tremendo, ininterrumpido y anónimo. Regresó junto a la mesa, cerró la carpeta que había depositado en ella y se la entregó a la monja. Tenga, sé que ha obrado movida por las mejores intenciones, pero no puedo tomar en serio sus fantasías; el gobernador y el obispo tenían razón en no hacerle caso, ellos son personas de categoría y se lo dieron a entender con más finura; yo sólo soy un bruto de campo, disculpe mi brusquedad y mi aspereza. Sor Consuelo estuvo un rato callada, luego consultó su reloj y murmuró una excusa: era sábado y debía estar presente en el rezo de la sabatina; se levantó, hizo una reverencia que parecía un amago de genuflexión y se retiró con los ojos clavados en el suelo y el cartapacio apretado contra el pecho.

Sin embargo, dos semanas más tarde la misma monja subía la cuesta que conducía a la finca con el mismo cartapacio bajo el brazo. Los perros repitieron su algazara atrabiliaria. No creo que el señor Aixelà quiera verme, le dijo a la guardesa, pero si se aviene a recibirme sólo le entretendré un minuto. Así mismo se lo diré, hermana, respondió la guardesa, en cuya mirada sor Consuelo creyó leer un deje de alarma. Quizá el otro día oyó la filípica y ahora teme un escándalo más sonado aún, pensó, pero va muy equivocada: por más que él me azuce, yo no me inmutaré; debo conservar la humildad a toda costa, éste es mi deber. Pero el cacique la recibió con una afabilidad no exenta de paternalismo. He venido a disculparme por la forma en que me marché el otro día, dijo ella antes de que él pudiera hablar, estaba confusa y no acerté a darle las gracias por su sinceridad. No debe disculparse, dijo él, yo estuve realmente muy violento y usted reaccionó con mucha entereza. También, interrumpió la monja, quiero agradecerle eso que usted califica de violencia; lo que me dijo no sólo era cierto sino evidente, pero por vanidad y obcecación yo no lo habría entendido si no me lo hubiera dicho de aquel modo. En tal caso, dijo él después de una breve pausa, estamos en paz. Sólo es una tregua, respondió sor Consuelo con una leve sonrisa en los ojos y en los labios. Ya veo que trae de nuevo su famoso cartapacio, dijo él. He revisado los números, aclaró ella. El cacique se echó a reír. Venga, salgamos a la galería, dijo separando la cortina. Y ella: Desearía que volviera a mirar el presupuesto si no es abusar de su tiempo y de su paciencia. Se habían sentado en las butacas de mimbre; Augusto Aixelà cogió el cartapacio que le ofrecía la monjita y sacó del bolsillo el estuche de las gafas. No abusa usted, hermana, comentó mientras se ponía las gafas, la verdad es que me divierte su perseverancia, no lo digo con ánimo de mortificarla, se apresuró a añadir, sino en los términos más afectuosos: crea que no estaríamos aquí si no valorase sus intenciones y la osadía con que trata de llevarlas a cabo. He revisado las cifras, atajó ella, y he esbozado un posible sistema de financiación; tengo el convencimiento de que si lograra reunir la suma inicial que aquí se indica podría conseguir fácilmente ayuda oficial; una vez puesto en marcha el proyecto, no me dejarán colgada. Veamos eso, dijo él abriendo el cartapacio. Para disimular el nerviosismo que le producían aquella situación y el empeño que ponía en conservar un difícil equilibrio entre la mansedumbre y la firmeza, la monja se levantó y fue a ver el papagayo. El animal ejecutaba una danza monótona en su aro: cargaba el peso del cuerpo sobre una de las patas y luego sobre la otra y balanceaba la cabeza al mismo tiempo; en aquel movimiento reiterado había algo de estúpido y mesmérico. Cuando tuvo a la monja al nivel de sus ojos, abrió el pico y dijo: Ave Marrría Purrrísima. Sor Consuelo lanzó una carcajada, luego recobró la serenidad y se ruborizó. ¿Tan seguro estaba de que volveríamos a vernos?, dijo. Espero no haberla ofendido, dijo él sin levantar los ojos del presupuesto, sólo es una broma inocente. Oh, no estoy ofendida, pero ¿de veras me considera tan testaruda? Sí, pero ¿qué tiene eso de malo?, respondió Augusto Aixelà, la testarudez es una manera de ser: puede aplicarse a fines reprobables, pero también a la virtud. Cerró el cartapacio y dijo: ¿Por qué cree que yo puedo ayudarla? Eso es fácil de contestar, dijo ella, porque cuenta usted con los medios necesarios. ¿Quién le ha dicho que soy rico? Sor Consuelo bajó los ojos y murmuró:

Estas cosas se saben. Sin embargo usted sólo lleva aquí un mes, replicó él, míreme a los ojos y dígame la verdad, ¿quién le ha hablado de mí? Mucha gente: los enfermos que acuden al Hospital, los médicos que lo atienden, los proveedores, todo el mundo, en una localidad tan pequeña las cosas corren. No todas son verdad, dijo Augusto Aixelà. No, pero todas tienen algún fundamento, replicó ella. ¿Qué más ha oído decir de mí?, preguntó él. Nada que mereciera ser escuchado, contestó la monja. ¿Por qué?, ¿sólo le interesa mi dinero? Sólo me interesan los hechos, replicó la monja, los juicios morales los dejo en manos del Altísimo. No estamos hablando de juzgar, sino de creer, dijo él, usted ha oído contar cosas de mí y ahora le pregunto: ¿las cree? ¿Qué le importa a usted lo que yo crea?, protestó sor Consuelo. Me importa y eso basta, dijo él en tono tajante. La monja juntó las manos sobre el regazo, inclinó la cabeza y dirigió a su interlocutor una mirada cuya intensidad desmentía el recato de la postura. Soy una monja, dijo al fin, he consagrado mi vida a la oración y al cuidado de los enfermos; del resto sé muy poco y no quiero saber más; es cierto que he oído contar cosas de usted, algunas buenas, otras malas; de las buenas no tengo por qué dudar, las otras han llegado a mis oídos en forma de murmuraciones maliciosas; no las doy por ciertas, aunque sé que son posibles: todos estamos capacitados para el bien y para el mal. Tragó saliva y prosiguió diciendo: De todos modos, si los actos reprobables que se le atribuyen son ciertos, nada puedo hacer, salvo rezar para que el Señor le ilumine, y eso ya lo hago. ¡Cómo!, ¿reza por mí? Rezo por mucha gente. Pero también por mí. Sí, también, dijo la monja, ése es mi deber... y también mi inclinación, pero quiero que una cosa quede clara: cuando rezo, es a Dios a quien me dirijo, espero que usted me entienda. Déjeme el cartapacio, dijo Augusto Aixelà precipitadamente, como si aquella conversación le resultase fatigosa, mañana he de ver a mi administrador y me gustaría que él echara una ojeada a los números, si usted no tiene inconveniente; es hombre discreto y leal y muy entendido en asuntos prácticos. Por supuesto, dijo ella con voz casi inaudible; él añadió: Pasado mañana salgo de viaje; he de ir a Madrid para resolver un asunto de cierta envergadura y ya sabe usted cómo son estas cosas: no sé cuántos días estaré fuera, pero tan pronto como regrese se lo haré saber. Quedo a la espera de sus noticias, dijo sor Consuelo lentamente, como si hablar le exigiera un gran esfuerzo; sin embargo, cuando volvieron a reunirse en aquel mismo lugar ocho días más tarde no había entre ambos la menor reticencia.

3

Persistía un calor que las nubes oscuras que cubrían parcialmente el cielo ardiente de la tarde hacían más sofocante; el viento las arrastraba y a su paso iban proyectando sombras sobre el campo; las hojas de las vides tenían un tinte acerado. La monja se interesó por el viaje de Augusto Aixelà y por el resultado de las gestiones que le habían llevado a la capital y él le contó que el viaje había sido un verdadero suplicio, que el tren había sufrido los retrasos habituales y finalmente lo había depositado, exhausto y tiznado de carbonilla de los pies a la cabeza, en un Madrid terriblemente caluroso: las calles estaban desiertas y el asfalto derretido se adhería a la suela de los zapatos; por fortuna, agregó, el hall del hotel en que se hospedaba disponía de un sistema de refrigeración excelente, incluso excesivo; por lo demás, añadió, el asunto que había motivado un viaje tan intempestivo parecía encaminarse, al menos a su juicio, hacia una solución definitiva. En resumen, acabó diciendo, pese a las incomodidades, el viaje había resultado satisfactorio. Se ve, dijo, que sus rezos me han acompañado. Mal pueden haber intervenido mis rezos en unas gestiones cuya naturaleza desconozco por completo, dijo la monja. Usted las desconoce pero no Dios, replicó el señor Aixelà, y tal vez el Altísimo, convencido de que poco puede hacerse ya por la salvación de mi alma, decidió aplicar sus oraciones a cosas más mundanas. No se burle usted del efecto de la oración, dijo la monja, ni trate de escandalizarme, porque no lo va a conseguir; bien sé que en el fondo no piensa lo que dice, pero tengo comprobado que en presencia de un hábito ningún hombre puede reprimir la necesidad de proferir alguna sandez. Ni usted la de regañarme como si yo fuera un párvulo, replicó Augusto Aixelà, pero no discutamos y cuénteme qué ha pasado durante mi ausencia en su atribulado Hospital. La monja bebió un sorbo de la limonada que le había servido Pudenciana un rato antes, se arrellanó en la butaca de mimbre, suspiró y dijo: Poca cosa, en verdad; el martes, por un descuido imperdonable de la hermana portera, un enfermo que tiene perturbadas las facultades mentales se escapó del Hospital, se fue al salón recreativo del Ateneo y allí estuvo jugando al billar durante dos horas, en pijama y zapatillas, sin que nadie le prestara la menor atención. Es curioso ver cómo en un pueblo donde tanta curiosidad despierta la vida privada del vecino, despierta tan poco interés la situación real de las personas. Fuera de este suceso pintoresco, nada más le puedo contar: como todos los años, la pérfida sequía está a punto de arruinar las cosechas de frutales; también le hemos echado a usted de menos. En Madrid me dijeron que este verano se habían alcanzado las temperaturas más altas del siglo, comentó Augusto Aixelà, un mediodía en la calle de Alcalá tomé un taxi y tuve que apearme a medio trayecto, porque dentro del vehículo el aire era verdaderamente asfixiante. ¿Hizo usted lo que me prometió?, preguntó la monja, ¿le ha mostrado mi proyecto a su administrador? Hice algo más, respondió el cacique, en Barcelona me tomé la libertad de sacar una reproducción fotostática de los papeles y me la llevé conmigo a Madrid con la esperanza de que allí podría hacer algo con ella, y en efecto, deambulando por los pasillos del Ministerio de la Gobernación, a donde me habían llevado mis asuntos, tropecé con un antiguo compañero de universidad que precisamente tiene un alto cargo en la Dirección General de Sanidad; por supuesto, me faltó tiempo para hablarle del proyecto, por el que se mostró interesado; al día siguiente un ordenanza vino al hotel a buscar la copia que yo me había llevado y a estas horas sus fantasías deben estar en manos del mismísimo director general; ya ve que no tiene motivos para regañarme. Ni usted para dudar de los efectos de la oración, dijo ella con los ojos velados por las lágrimas; luego se recompuso, se pasó el dorso de la mano por los párpados y dijo: ¿De veras ha hecho esto por mí? Como le decía, respondió él, ha sido un viaje bien aprovechado, y aún me sobró tiempo para ir a casa de un anticuario que casualmente no había cerrado su establecimiento por vacaciones y allí adquirir una pieza muy interesante, ¿le gustaría verla? La monja bajó los ojos y estuvo callada unos instantes; luego dijo: Me encantaría, pero tendrá que ser en otra ocasión; se ha hecho tarde y yo también he de resolver algunos asuntos en el Hospital. Permítame que la acompañe en mi coche, dijo él. Le ruego que no lo haga, respondió la monja con voz casi inaudible, ya he abusado demasiado de su bondad y el camino de bajada no es fatigoso. Antes de salir se detuvo en el umbral del gabinete. No sé cómo expresarle mi agradecimiento, balbució. No tiene por qué hacerlo, ¿se encuentra bien?, dijo Augusto Aixelà. Sí, sí, muy bien, respondió, se lo aseguro; quizá un poco alborotada por lo que me ha contado: a veces, agregó, cuando se pone el corazón en algo, es difícil no dejarse llevar por las emociones, es una cosa pueril, ya lo sé. Salió del gabinete, cruzó el vestíbulo escueto y, ya en el jardín, el sol le dio de lleno en la cara, no vio el escalón que mediaba entre la puerta y el suelo, trastabilló y se habría caído si unos brazos no la hubieran sujetado. Al volverse percibió el rostro abotargado y el aliento vinoso del jardinero; su abrazo era firme, pero no rudo, y de su fisonomía parecía haberse borrado la expresión de idiocia. En cuanto la monja hubo recobrado el equilibrio, la soltó y se retiró unos pasos; en la mano sostenía la boina respetuosamente. Gracias, el sol me había deslumbrado y no vi el peldaño, dijo ella. Anduvo hacia el sendero y él la seguía; la vegetación, remozada por las lluvias recientes, daba al lugar un aire selvático, casi malsano. No hace falta que me acompañes, le dijo, conozco el camino. El idiota seguía pegado a los talones de la monja; ella aceleraba el paso y él también. Sonreía mostrando una dentadura perfecta. Dios misericordioso, pensó la monja, que no me pase nada malo. Apenas había formulado esta idea cuando se topó inesperadamente con los dos perrazos. No tenga miedo, murmuró el idiota; entonces ella comprendió que él la acompañaba para protegerla de los perros. ¿Es usted del Hospital, hermana?, preguntó el idiota. Sí, dijo. Ah, exclamó él, es una buena acción, una buena acción.

Unos días más tarde llovió torrencialmente en toda Cataluña, ocasionando grandes daños en la ciudad de Bassora y sus inmediaciones. De esta catástrofe no se vio libre el pueblo de San Ubaldo: el arroyo enjuto que marcaba los límites del Hospital por el lado de poniente se convirtió en pocas horas en un torrente turbulento y caudaloso que en algunos puntos desbordaba su cauce natural, anegaba los sembrados y formaba brazos que discurrían por entre los campos, siguiendo el curso de los caminos vecinales, depositando aquí y allá objetos heterogéneos arrastrados por la crecida. De resultas de ella, se inundó el quirófano del Hospital. A sor Consuelo, que dedicaba todas las horas libres a corregir y afinar las cifras de su presupuesto, vino a buscarla sor Francisca en nombre de la comunidad; su expresión presagiaba el fin del mundo. En el quirófano hay un palmo de agua sucia, dijo. Sor Consuelo no levantó los ojos del cartapacio. Pues que la achiquen y desinfecten luego el suelo con zotal, se limitó a decir. Sor Francisca vacilaba en el umbral de la celda. ¿Qué ocurre, hermana? Sor Francisca carraspeó: Será mejor que venga a verlo usted misma, reverenda madre, susurró. En la escalera que conducía al quirófano se agolpaban doce monjas con el terror pintado en el semblante; se habían arremangado hasta los codos y recogido el borde de los hábitos y empuñaban bayetas y cubos, pero no hacían nada. Hermanas, a baldear, les dijo. En vista de que sus palabras no surtían ningún efecto acabó de bajar los escalones y se asomó al quirófano: apagado el reflector para evitar un cortocircuito, toda la claridad provenía de unos tragaluces angostos situados en la parte alta de la pieza. El suelo era un lago de color de chocolate en el que se reflejaba invertida la mesa de operaciones. También las cubetas que contenían el instrumental quirúrgico estaban llenas de aquel líquido abyecto. Flotaban paños y compresas y una mascarilla de anestesia. Entre los restos de la catástrofe el dedo tembloroso de sor Francisca individualizó un bulto. Era una rata muerta ¿Esto es lo que las asusta tanto?, exclamó la Superiora, haga el favor de cogerla ahora mismo, sor Francisca. La interpelada ponía los ojos en blanco como una mártir arrojada a los leones. ¿No me ha oído, hermana? Me da repeluznos, reverenda madre. La Superiora se metió en el agua, cogió el cadáver por el rabo y se lo entregó a sor Francisca. Cójala, hermana, le dijo en tono imperioso, aunque las ratas son asquerosas, también son criaturas de Dios: tírela a la basura, pero sin aspavientos. Reflexionó un rato y luego dijo desde lo alto de la escalera: Asimismo dispongo que se clausure indefinidamente este quirófano por múltiples razones, unas higiénicas y otras de orden técnico; de ahora en adelante y hasta tanto no se inaugure el nuevo hospital de Bassora, el que quiera operarse deberá coger el autocar de línea. Con esta decisión drástica se encontró el médico jefe cuando llegó al Hospital con dos horas de retraso y presa de la mayor excitación. Al coro boquiabierto y sobrecogido de monjas y pacientes que se congregó a su alrededor refirió el atribulado doctor los dramáticos efectos del temporal en el núcleo urbano de Bassora, donde él vivía y de donde acababa de llegar sorteando mil dificultades. Todo había empezado, dijo, cuando al filo de la medianoche las aguas impetuosas habían roto el muro de contención que canalizaba el curso del río a su paso por la ciudad. De resultas de esta rotura, numerosas instalaciones fabriles y comerciales, situadas junto al canal precisamente para aprovechar sus aguas y verter en ellas basuras y residuos industriales con mayor comodidad, habían quedado inundadas o se habían derrumbado y habían sufrido en uno y otro caso daños irreparables. En el centro de la ciudad, siguió diciendo el doctor, las cosas habían revestido caracteres aún más espectaculares: allí la furia de las aguas había arrancado buena parte del arbolado, así como las farolas y los bancos públicos, y había arrastrado cuanto encontraba en su camino, en especial los coches estacionados junto a las aceras; también había levantado o hundido grandes trozos de pavimento. Las alcantarillas habían reventado, cubriendo calles y plazas de inmundicias inauditas. En algunos barrios, especialmente en los barrios nuevos, que estaban en la parte baja, las aguas habían invadido las casas, obligando a sus habitantes a buscar refugio en los pisos superiores y aun en los tejados, y varias personas ancianas o impedidas habían tenido que ser desalojadas por las ventanas. El abnegado cuerpo de bomberos no podía atender a tantas emergencias, pero como las carreteras estaban intransitables y la situación en las poblaciones vecinas era igualmente catastrófica, no había que contar con recibir ayuda de nadie. Para colmo de males, la tromba había destruido el tendido eléctrico casi totalmente, así como la conducción de agua potable; los teléfonos no funcionaban: la ciudad estaba a oscuras e incomunicada. Estas desgracias adicionales habían dificultado sobremanera las tareas de rescate, que habían tenido que ser realizadas en medio de unas tinieblas que el doctor, que no había participado en ellas, pero a quien la escena había sido descrita con todo detalle por un testigo presencial, calificó de «dantescas». En la oscuridad, dijo, se oían gritos desgarradores y desesperadas llamadas de socorro procedentes de los lugares donde el temporal había ocasionado mayores estragos. Hacia las tres de la madrugada, siguió relatando el doctor, los infatigables bomberos, con ayuda de algunos voluntarios, habían evacuado a todos los vecinos del barrio obrero de El Arenal, ya que sus hogares corrían grave peligro de derrumbamiento. Pese a todo, añadió, el número de víctimas había sido mucho menor del que la magnitud de la catástrofe había hecho temer en un principio, pues hasta el momento sólo se tenía noticia de dos muertes: en el campamento de gitanos instalado en las afueras de la ciudad, al borde mismo del río, habían perecido ahogadas dos mujeres, una joven, como de quince años, y otra de unos sesenta. En otro lugar, dos mujeres más, una madre y una hija, habían estado a punto de correr la misma suerte al desmoronarse la tapia sobre la que se habían refugiado, pero habían podido ser salvadas en el último momento. De todas formas, agregó el doctor cabizbajo, apenas la luz del alba lo había permitido, los equipos de rescate habían iniciado una denodada labor de descombro de los edificios derrumbados, ya que se sospechaba que en ellos podía haber personas enterradas. Las familias sin hogar habían sido alojadas provisionalmente en escuelas y otros edificios públicos, hasta que, por falta de espacio y a fin de que nadie se quedara al raso, fue preciso habilitar la platea del cine Avenida e incluso el vestíbulo, del que fue retirada por respeto una foto publicitaria de gran tamaño que mostraba a Marilyn Monroe en pose provocativa. Partía el alma, dijo el doctor, ver a estas personas desgraciadas, que lo habían perdido todo inesperadamente, que habían visto cómo las aguas arrastraban en pocos segundos las posesiones arduamente acumuladas tras largos años de sacrificio, y que ahora se encontraban en una situación de gran precariedad: arrancadas bruscamente de su sueño, habían abandonado sus casas en medio de la noche, en camisón o pijama, y apenas había colchonetas y mantas para todos. Entrada la mañana, la radio informó a quienes disponían de fluido eléctrico de que había salido de Barcelona con gran prontitud un convoy de socorro encabezado por el Excelentísimo Señor Gobernador Civil y Jefe Provincial del Movimiento; sin embargo, había agregado la radio, el avance de este convoy, que llevaba alimentos, medicinas, ropa y otros artículos de primera necesidad con destino a los damnificados, se veía gravemente obstaculizado por el estado de las carreteras que en algunos puntos, según había descrito el locutor con un temblor de voz que evidenciaba lo sobrecogedor del espectáculo, «parecían ríos de copioso caudal». No hay duda de que este año será recordado por siempre como el año del diluvio, afirmó el doctor conmovido por su propio relato, que concluyó refiriendo las dificultades que había debido arrostrar él mismo para acudir al Hospital, ya que las aguas se habían llevado uno de los puentes de la carretera vecinal, lo que le había obligado a dar un largo rodeo preñado de riesgos e incertidumbres. En lo tocante a la decisión de la Superiora de clausurar el quirófano sine die, el doctor dijo no tener nada que objetar. Lo cierto era que acogía la decisión con alborozo: le faltaban un par de años para la jubilación y el cargo de médico jefe del Hospital empezaba a pesarle en exceso. Cuanto menos trabajo y menos responsabilidades, se dijo, tanto mejor. A sor Consuelo estos sucesos le hicieron ver hasta qué punto en las últimas semanas había vivido entregada exclusivamente al proyecto de reforma del Hospital, anteponiendo sus fantasías a las necesidades acuciantes del presente. Sólo vivo para mis sueños, se dijo, esto no puede seguir así. Arrinconó el presupuesto y dedicó todo su tiempo y energías al Hospital. Este cambio de actitud, promovido por los sucesos dramáticos ya referidos, de los cuales la prensa se hizo amplio eco en su día, le reportó un gran bien, porque llevaba varias semanas en un estado de continua zozobra: en ningún lugar encontraba sosiego y con sus subordinadas se mostraba irritable y exigente en grado sumo. ¿Qué me pasa?, se decía, me estoy convirtiendo en una persona desequilibrada. Su humor era cambiante: al alba se despertaba embargada de una alegría extraordinaria, como no recordaba haberla sentido en su vida; pero al cabo de unos instantes, cuando cobraba conciencia de sí, le asaltaban preocupaciones y angustias inexplicables y debía apelar a toda su cordura para no echarse a llorar sin causa alguna. Estos momentos de extremo contraste, en los que se creía repentinamente transportada a la cima de la bienaventuranza para caer de inmediato en la más profunda desesperación, se sucedían a lo largo de la jornada del modo más imprevisible y embarazoso. A este desasosiego no sabía encontrarle razón y como no veía nada reprensible en ello, no hablaba del asunto con su confesor, el cual, por otra parte, habría podido prestarle muy poca ayuda. Era un cura de avanzada edad, vecino del lugar, llamado mosén Pallarés. Había pasado la guerra huyendo y escondiéndose y de resultas de tanto sobresalto había perdido un poco la chaveta. Solía contar cómo, en el desorden de los primeros días, para no ser apresado por las patrullas que registraban el pueblo casa por casa en su busca, se había ocultado en una tumba vacía del cementerio, que dos personas amigas habían sellado con la lápida bajo promesa de regresar y sacarle de allí tan pronto hubiera desaparecido el peligro. En aquel lugar espantoso, sin comida, casi sin aire y sumido en una oscuridad total pasó el pobre cura dos días y dos noches. No podía levantar la losa con sus solas fuerzas y temía que quienes habían de rescatarle hubieran caído presos o hubieran huido o le hubieran traicionado o incluso hubieran olvidado el emplazamiento exacto de la tumba en que se hallaba. Era hombre pusilánime de natural y demasiado viejo para soportar con entereza este tipo de aventuras; no creía haber hecho nunca mal a nadie y conocía personalmente a los milicianos que ahora le buscaban para matarle; a muchos de ellos los había visto nacer y les había administrado las aguas bautismales. Ahora unía al horror de su situación el que le producía descubrir de repente aquella faceta insospechada de la naturaleza humana, aquel abismo de inquina, de odio ancestral. La tristeza le embargaba hasta tal punto que por momentos habría preferido formar parte definitiva del mundo de los muertos, que ahora le ofrecía albergue temporal. Sólo aquí reina la paz, pensaba. El tiempo transcurrido desde entonces no le había hecho olvidar esta experiencia dramática. No era, en suma, la persona idónea para percibir y comprender los vaivenes y desvaríos de una alma femenina inexperta y confusa. Siempre te halle el demonio bien ocupada, le decía.

Un día la hermana portera le anunció la visita de un caballero. Enfrascada como estaba en los problemas del Hospital, este anuncio le produjo un gran sofoco. Preguntó de quién se trataba y la hermana portera dijo que del administrador de don Augusto Aixelà. La hermana portera era natural de la zona y conocía al sujeto. Por ella supo la monja que el administrador se llamaba Pepet Bonaire y que pertenecía, al igual que Pudenciana, con quien estaba emparentado, al clan de los Pelones. En el Hospital gozaba de gran popularidad, porque era persona amable y campechana y también porque, como administrador de la familia Aixelà, solía hacer personalmente entrega de los donativos y regalos con que esta familia favorecía a la institución. Sor Consuelo lo encontró sentado en un banco del vestíbulo: un hombre menudo, metido en carnes, de gesto pausado y mirada astuta y socarrona. Aunque se le calculaban muchos años, pues ya administraba la hacienda de los Aixelà de Collbató en tiempos del padre de su actual patrón, se puso en pie con notable agilidad tan pronto como vio a la Superiora, y le hizo una profunda reverencia. Pese al calor reinante, vestía traje de pana, faja y gorra de visera, y llevaba botas altas, embarradas de andar por los aguazales. Sor Consuelo le invitó a pasar a su despacho, él respondió que no tenía intención de detenerse allí más de lo estrictamente necesario. En realidad, explicó, sólo venía a devolver el cartapacio que don Augusto le había entregado en su día. Ah, en tal caso no le dejaré marchar sin haber oído antes su opinión, exclamó sor Consuelo, pase al despacho y haré que le traigan un café con leche y melindres; el café es aguachirle, pero los melindres están hechos aquí y según dicen son buenos, usted los debe de conocer. En efecto, los conozco y me encantan, pero no quisiera ocasionarles ninguna molestia; sé que han tenido problemas con las riadas de estos días y que han cerrado el quirófano de manera permanente. Mientras el administrador decía estas cosas, la Superiora lo condujo hasta el despacho sin que él opusiera resistencia. Una vez allí hablaron un rato del presupuesto, pero sor Consuelo apenas si escuchaba las consideraciones que le hacía el administrador de fincas: éste era hombre práctico y sumamente minucioso y, a juicio de la Superiora, se perdía en un laberinto de detalles sin duda importantes, pero de muy poco vuelo. Si continúo escuchándole acabaré por perder todo interés en el proyecto, pensó ella. En silencio buscaba la forma de cambiar de tema sin ofender a su interlocutor. Por fin consiguió que la conversación recayera en las gestiones que Augusto Aixelà había hecho en Madrid. Ha sido verdaderamente generoso y encomiable el que se haya ocupado de este asunto sustrayendo tiempo al que llevaba entre manos, comentó sor Consuelo, y como el administrador se limitara a expresar su conformidad con un ligero cabeceo, añadió, sobre todo si tenemos en cuenta la extrema gravedad del asunto. Figúrese usted, dijo el administrador. Don José, dijo la monja, que no se atrevía a emplear el nombre de Pepet para dirigirse al administrador y menos aún el apelativo por el que era conocido en el lugar, no me juzgue usted indiscreta, pero ignoro todo lo concerniente a ese asunto de Madrid; sé que tiene que ver con el Ministerio de la Gobernación y que reviste una importancia grande; no quiero meterme en la vida de nadie y si el asunto es de índole privada le ruego que no me cuente nada al respecto;

pero si, como intuyo, el problema rebasa esos límites y yo puedo contribuir de algún modo a resolverlo o simplemente a mitigarlo, no dude en decirme de qué se trata. El administrador sonrió, se puso serio y volvió a sonreír fugazmente, como si estuviera manteniendo un debate para sus adentros; luego miró de nuevo a la monja, se arrellanó en el sillón, estiró las piernas, cruzó las manos sobre la faja y dijo: No veo en qué forma puede usted intervenir en el caso, aunque eso en verdad nunca se sabe; de todos modos, y puesto que el asunto es de dominio público, tampoco veo razón para no ponerle al corriente de los hechos; al fin y al cabo, usted es la Superiora de las hermanitas del Hospital y, por lo tanto, un personaje destacado en la zona. Echó ligeramente el cuerpo hacia delante y dijo: Hace poco menos de un año apareció un bandolero en la sierra. Aunque no habíamos tenido bandoleros en la comarca desde que acabó la guerra, el hecho no alteró a nadie: siempre ha habido bandoleros en las sierras como siempre ha habido rateros en las ciudades. Por lo general, continuó diciendo, no son mala gente: viven a salto de mata y a poco que demuestren tener agallas y algo de ingenio, caen en gracia con facilidad; al fin y al cabo, aquí no abundan las diversiones y en el fondo nadie le tiene cariño a la autoridad. El viejo administrador adoptó el tono despacioso de quien se dispone a referir un cuento y dijo: Cuando yo era pequeño contaba mi padre, que en paz descanse, que hubo un bandido en estas mismas montañas que se llamaba Antonio Llobet, aunque era más conocido por el *Tiarru*, porque era un hombrón hecho y derecho y más chulo que un ocho; hasta que lo mataron en un encuentro con la Guardia Civil, ningún año faltó a las fiestas del pueblo: bailaba con todas las mozas, guapas o feas, no hacía distingos, a todas metía mano, y después del baile entraba en la taberna, mandaba servir vino a quien estuviera allí y él iba de mesa en mesa, brindando con todos. Y siendo yo niño recuerdo a un tal Juan Budallés, alias *Mierdafrita*, que dio mucho que hablar: asistía a las corridas de toros que echaban de cuando en cuando en Bassora y decidía si un diestro se merecía una oreja o las dos, o si se merecía que lo cogieran entre varios y lo echaran al río, y lo que él disponía se hacía tal cual, así estuviera presidiendo la corrida el señor Ministro de la Gobernación. Un día acudió este bandido a una casa a pedir comida, como solía hacer, y el dueño, con la excusa de ir por ella a la fresquera, salió de la casa, cerró la puerta con llave y escapó corriendo sin pensar que atrás dejaba la mujer y los hijos. Apenas hubo andado medio kilómetro, se topó con una pareja a caballo de la Guardia Civil; corran, señores, que tengo en mi casa a *Mierdafrita*. Pero el bandido, viendo venir a los civiles al galope, saltó la cerradura de un tiro y se dio a la fuga con grave riesgo: no quiso hacerse fuerte en la casa, para que la mujer y los niños no sufrieran daño en el tiroteo. Aquel mismo domingo, al salir todo el pueblo de misa, estaban esperando Budallés y su banda a la puerta de la iglesia; al verle, el que le había denunciado se dio por muerto, pero su mujer fue más rápida: se hincó de rodillas delante del bandido y le dijo: No me lo mates, *Mierdafrita*. No te lo mataré, mujer, dijo el bandido, pero bien que he de darle una lección para que aprenda a callar la lengua; y dirigiéndose al delator le ordenó: Bájate los calzones, sabandija. No se inquiete, hermana, que todo acabó bien: la venganza se saldó con unos cuantos zurriagazos. Menos piedad tuvieron de él las autoridades cuando le echaron el guante: en el patio de la cárcel de Bassora le dieron garrote vil el mismo año que cambió el siglo, que unos dicen que fue el mil novecientos y otros que el mil novecientos uno. Se espantaba la monja al oír estas historias salvajes y se enardecía el viejo administrador al rememorarlas. Podría estar toda la tarde contándole historias como éstas, hermana, ya le digo: bandidos los ha habido siempre, y todos tenían su nombre de guerra y su leyenda: Pedro *el Torrat*, Niseto *el de la Bomba*, *Saltatrenes*, Luisito *el Gafas*, y hasta un tal *Saturnino*, que dicen que era mujer y que se echó al monte después que la violara el somatén, pero, en resumidas cuentas, lo dicho: buena gente que no se mete con nadie si se la deja vivir. Hizo una pausa, frunció el ceño y añadió: Sin embargo esta vez y sin mediar causa aparente, don Augusto se puso muy nervioso: empezó a decir que el bandolero capitaneaba un grupo numeroso y que estaba planeando secuestrarle; otras veces decía que no había tal bandolero, sino un destacamento del «maquis» que venía a ajustarle las cuentas por ciertos sucesos acaecidos a raíz de la guerra. Puede que en las dos cosas llevara algo de razón, porque secuestros ha habido varios y de lo otro, por fuerza han de quedar heridas sin cicatrizar. La cuestión es que estuvo insistiendo a la Guardia Civil para que se echara al monte y acabara con la amenaza que él veía: más tarde, como las batidas de la Guardia Civil no daban el resultado apetecido, se fue a Barcelona a solicitar del capitán general la intervención del Ejército. El capitán general le dijo que nones; ni siquiera en los peores años del «maquis» quiso el Gobierno meter al Ejército en el asunto. Así que don Augusto se fue a Madrid y allí debe de haber estado porfiando y haciendo pasillos, sabe Dios con qué fruto. Eso al menos es lo que a mí me ha contado. Si en realidad fue a Madrid por otros motivos, no soy yo quién para insinuarlo; me tengo que ir. ¿De veras cree usted que la vida de don Augusto corre peligro?, preguntó la Superiora. El administrador se encogió de hombros y levantó los ojos al techo. Lo que sea, sonará, dijo. La Superiora no quiso insistir, porque no supo si el administrador era tan simple como daba a entender su respuesta o si, como parecía más probable, prefería dejar las cosas en el aire. Algo debe de saber que no me dice, pensó. Luego, a solas en su celda, las figuras de estos bandidos, que en boca del administrador se le habían antojado pintorescas patrañas, adquirían visos terribles de realidad: se los representaba, hirsutos y torvos, en el acto de asestar un hachazo a un Augusto Aixelà inerme y despeinado. Esta fantasía, inspirada por sus temores, le parecía una premonición de ineluctable cumplimiento y la sumía en la desesperación, como si fuera algo que estuviera sucediendo en aquel preciso instante.

4

El cuartelillo de la Guardia Civil estaba en una calle del pueblo que partiendo de la plaza de la Iglesia bajaba al arroyo; era una casa de dos plantas cuyas paredes enjalbegadas no ostentaban más distintivo que una bandera española pintada a brochazos toscos sobre el dintel y el consabido lema: TODO POR LA PATRIA. En la acera dormitaba un perro descarnado cubierto de moscas. La Superiora y la ecónoma asomaron la cabeza con sigilo: en el interior había una mesa amplia sobre la que ronroneaba un ventilador negro con aspas de latón. A esta mesa se sentaba un guardia bigotudo y algo tripón. Sin duda no esperaba recibir ninguna visita a aquella hora tórrida de la tarde, porque iba en camiseta y parecía enfrascado en la lectura de una novela de El Coyote. En el suelo, junto a la mesa, podía verse un botijo de barro; en un perchero, la chaqueta y el tricornio, y contra el vértice que formaban las paredes, el mosquetón. Ante este fiero espectáculo retrocedieron las dos monjas de consuno. ¿A qué habíamos venido, reverenda madre?, preguntó la ecónoma mientras se apresuraban calle abajo. A nada, a nada, madre Millás, respondió la Superiora. Su presencia no había pasado inadvertida al guardia civil, que ahora se abrochaba apresuradamente la botonadura a la puerta del cuartelillo sin reparar en que los tirantes le colgaban a ambos lados; con expresión perpleja veía correr a las dos monjitas que habían interrumpido su asueto inexplicablemente.

Al llegar a la puerta del Hospital salió a su encuentro la hermana portera y les anunció una visita. ¡Es el señor Aixelà!, masculló haciendo grandes muecas. La Superiora sonrió: la presencia de aquel hombre apuesto, rico y galante había trastornado visiblemente a la hermana portera. Me he permitido hacerle pasar a su despacho, dijo ésta, no me parecía bien tenerlo de plantón en el vestíbulo, ¡con la de favores que le debemos! Hizo bien, hermana, la tranquilizó la Superiora, y a la ecónoma: Vaya a sus cosas, madre Millás, la mandaré llamar si la necesito. Por los ojos de la ecónoma pasó una sombra. Son celos, pensó la Superiora, y acto seguido se dijo: ¿Cómo me permito juzgar y qué sé yo de estas cosas al fin y al cabo? Se dirigió al despacho con paso decidido y abrió la puerta con brusquedad. Augusto Aixelà se levantó de su silla precipitadamente. ¡Sapos y culebras!, ¿qué ocurre?, preguntó. La Superiora entró y cerró la puerta. Nada, respondió. Me ha parecido que venía dispuesta a echarme a escobazo limpio, dijo él. De ningún modo, me dijeron que había alguien esperándome y vine un poco a la carrera: no me gusta hacer esperar a la gente. No llevo mucho esperando y esta vez he sido yo quien he venido sin anunciarme previamente, dijo él, supuse que con este calor estaría recluida, pero ya veo que las altas temperaturas no la arredran. Hemos tenido un problema grave hace poco en el quirófano de resultas de las inundaciones y quería enviar varias cartas urgentes dando cuenta de ello, como es mi obligación, a las autoridades competentes y a la reverenda Superiora Provincial; para ir a correos decidí aprovechar estas horas de relativa tranquilidad, dijo ella, luego suspiró, hizo una pausa y añadió en un tono más sosegado: Debo confesar, sin embargo, que el calor aprieta; con su permiso. Cruzó el despacho hasta una consola de madera de pino adosada a la pared sobre la que había un aguamanil y una jofaina de loza. La monja puso agua en la jofaina, se lavó las manos y la cara y se secó con una toalla húmeda y deshilachada que colgaba de un clavo junto a la consola. Mientras se aseaba advirtió el ofensivo olor a col hervida que impregnaba sus hábitos y que ni siquiera el paseo había logrado eliminar. ¿No tienen agua corriente?, preguntó Augusto Aixelà a sus espaldas. En el Hospital sí, respondió la monja, pero no en la residencia de la comunidad. Mientras hablaba abrió la ventana, tomó la jofaina y arrojó el agua al vacío. Todavía baja crecido el riachuelo, comentó. Reverenda madre, dijo el visitante, ¿le importaría cerrar la ventana, dejar la jofaina en su sitio y hacerme un poco de caso? Oh, discúlpeme, dijo ella azorada. He venido a hablar de su proyecto, no me diga que ya ha dejado de interesarle, dijo él. No, no, al contrario, protestó la monja, ¿qué le hace pensar una cosa así? Es propio de la naturaleza humana flaquear cuando los sueños empiezan a materializarse, dijo Augusto Aixelà. Sor Consuelo se puso seria: Yo no tonteo, dijo en tono firme. Ya lo sé, replicó él, y también sé que estuvo hablando con Pepet. La monja respondió: Su administrador tuvo la gentileza de venir a verme, examinamos el proyecto con cierto detenimiento y me hizo varias observaciones sumamente provechosas. Es hombre de experiencia, dijo Augusto Aixelà, está algo mayor y los años lo han vuelto torpe y cascarrabias, pero conoce a todo el mundo y todo el mundo le quiere y le respeta; si se lleva a cabo el proyecto, su ayuda será imprescindible. Cuento con ella, dijo la monja, y a usted ¿puedo preguntarle el motivo de su visita? Mentiría si le dijera que hay alguno, al menos por lo que atañe al proyecto: sigo sin noticias de Madrid respondió él. Dejó vagar unos segundos la vista por las paredes del despacho y agregó: Supe lo de la inundación y la clausura del quirófano y pensé que debía venir a interesarme por lo sucedido; en cierta medida me siento responsable del Hospital desde que usted me metió en el asunto. Si fui yo quien le impuso esta carga y no su conciencia, le libero de ella ahora mismo, dijo sor Consuelo en el mismo tono de broma que él había empleado, pero le agradezco su interés de todos modos. No me lo agradezca, dijo Augusto Aixelà, también he venido porque echaba de menos su compañía y su conversación. Bien pocas diversiones debe de haber en este pueblo cuando le entretiene la cháchara de una pobre monja ignorante, respondió la Superiora. No sea hipócrita o se irá al infierno de cabeza, y recuerde que me prometió venir a ver mi colección de arte, dijo él. No se lo prometí y bien sabe usted que no puedo hacerlo, respondió la Superiora con un leve deje de tristeza en la voz. Al contrario, replicó él, creo que puede y debe; mi colección está compuesta de obras de arte sacro, no hay nada profano en ella; para mí es sólo arte, pero para usted puede resultar bello y al mismo tiempo edificante, como ha de resultármelo a mí la proximidad de alguien ecuánime y virtuoso. ¿Se refiere a mí?, preguntó la monja un tanto confusa; no sabía cómo tomarse aquel extraño razonamiento. Él la miró fijamente. ¿No ha pensado que la Providencia me ha puesto en su camino con algún propósito?, le dijo. A veces me pregunto quién le ha puesto realmente en mi camino, contestó la monja por lo bajo. Entonces, ¿vendrá?, insistió el cacique; y antes de que ella pudiera responder añadió: Hágase acompañar de la ecónoma si lo estima oportuno.

Los perros acudieron ladrando, pero al llegar a su lado olisquearon los hábitos y se tranquilizaron; no obstante, sor Consuelo esperó sin moverse a que acudiera Pudenciana. Se ve que la han reconocido, comentó la guardesa. Sí, dijo la monja; unas veces mis hábitos huelen a éter, otras a berza y otras a jabón, sin embargo ellos siempre reconocen a quien los lleva, ¿cómo lo harán? Más listos que nosotros son para algunas cosas, sentenció la guardesa, a veces tengo la sensación de que hasta huelen quién trae buenas y quién malas intenciones.

Sor Consuelo alargó la mano con cautela hacia uno de los perros y viendo que éste no reaccionaba al gesto con hostilidad, le acarició la cabezota. No exagere, mujer, le dijo a la guardesa. Cuando se dirigían hacia la casa se cruzaron con el jardinero; llevaba una manguera medio arrollada al hombro y el pitorro de metal que colgaba a sus espaldas iba dejando un surco sinuoso en la tierra. Al pasar la monja junto a él se la quedó mirando con la boca abierta. Cierra esa boca, pasmarote, que te vas a tragar una mosca, le dijo Pudenciana. El otro día estuvo muy amable conmigo, dijo la monja, me acompañó hasta la cancela y me defendió de los perros. Ca, éste no sabe lo que hace, dijo Pudenciana, de pequeño cogió unas fiebres y se quedó así: ni entiende ni razona. Sor Consuelo miró al idiota a los ojos y advirtió en ellos una vacuidad inconmovible. Se estremeció, siguieron caminando hasta llegar a la casa. ¿El amo la ha citado a esta hora?, le preguntó la guardesa cuando hubieron entrado en el zaguán. Me ha citado, pero no a esta hora, contestó la monja, en realidad me dijo que viniera a verle sin concretar fecha ni hora, ¿he hecho mal? Oh, no, usted puede venir siempre que quiera, hermana, y ojalá que su presencia aquí sea una buena influencia, dijo Pudenciana, lo que ocurre es que el amo ha salido a cazar esta mañana y ahora está descansando; ya sabe que para ir de caza hay que levantarse antes del alba. Pero iré a llamarle, añadió. De ningún modo, déjele que duerma, yo volveré otro día, se apresuró a decir la monja. Acto seguido se dejó caer en uno de los asientos de anea y anunció en forma totalmente incongruente con lo que acababa de decir: Esperaré aquí a que se levante; Pudenciana se rascaba el cabello ensortijado. Iré a prepararle la limonada, dijo al fin. No, déjelo, no tengo sed, ¿a qué se refería cuando dijo que yo podía ejercer una buena influencia?, preguntó. Pudenciana volvió a rascarse el cabello. El amo necesita un alma buena que lo devuelva al recto camino, sentenció. Pues, ¿tan apartado anda de él?, preguntó la monja. La guardesa esbozó una sonrisa taimada que no guardaba relación con la seriedad de su tono. ¡Ay, hermana, si las paredes hablasen!, suspiró. La Superiora se puso en pie. Las paredes no pueden hablar, Pudenciana, pero usted sí, le dijo, y si algún respeto le infunde el crucifijo que llevo colgado de la cintura, en su nombre la conmino a que me diga lo que sabe. La guardesa se quedó boquiabierta ante la contundencia de aquel exordio. Dios bendito, murmuró, no haga caso de mis palabras: sólo soy una mujer del pueblo, ¿qué he de saber yo? No se haga la tonta, replicó la otra, hace veinte años que cuido enfermos y tengo trece monjas a mis órdenes: conozco todas las evasivas y triquiñuelas que es capaz de inventar una cabeza humana. La guardesa aproximó una silla a la que hasta ese momento había ocupado la monja y ambas se sentaron. El problema son las mujeres, dijo Pudenciana lentamente, como si se dispusiera a exponer una teoría de difícil comprensión, eso le pierde; nadie lo diría viéndolo así, tan serio y tan formal, pero la procesión como suele decirse va por dentro. De niño, continuó diciendo, ya tenía el diablo metido en el cuerpo y ahora, de grande, no ha cambiado, y eso no es bueno, hermana, ni para la salud ni para la hacienda ni para la eterna salvación del alma, si mucho me apura; los mozos, ya se sabe, son zascandiles de natural, pero el señor ha causado muchos pesares: quien siembra en huerto ajeno por fuerza ha de recoger inquina y violencia. Súbitamente se puso en pie y afirmó: Yo pertenezco a esta casa y no puedo decir más. Antes de que se fuera, si éste era su propósito, sor Consuelo se levantó y la agarró del brazo. Las dos mujeres caminaban con las cabezas juntas arriba y abajo del zaguán y sus murmullos se perdían en la penumbra de la severa estancia. ¿Y nunca hubo una que le hiciera sentar cabeza? Hace años, respondió la guardesa, hace muchos años. Hubo una mujer que lo quiso bien; no como las otras, sólo para juguetear y triscar, con perdón, y adiós muy buenas; ésta iba en serio, pero no pudo ser; debió de pensar que por amor podría perdonarle las faltas y aceptarlo tal cual era, quizá reformarlo; no lo consiguió. ¿Por qué?, ¿qué pasó? Yo no sé, pobre de mí, se lamentó la guardesa, todo el día del gallinero a los fogones, ¿qué he de saber? Se dijo que él la atormentó hasta hacerle perder el juicio, ¡ay, si estas paredes hablaran! Un buen día dejamos de verla, se había ido y no volvió más, pasado el tiempo corrió el rumor de que había muerto de un modo horrible, más no sé. La guardesa hizo una pausa, como si el recuerdo de aquella desgracia ajena pesara en su conciencia. Yo también era muy joven entonces, continuó diciendo sin que viniera a cuento, fue recién acabada la guerra; él había entrado en el pueblo con los nacionales, su padre, que aún vivía, se había quedado en Francia, allí pasó toda la guerra a salvo, pero él, despreciando la seguridad que le ofrecían, cruzó las líneas y se fue a luchar con los suyos, traía una pistola al cinto y hay que ver lo bien que le sentaba el uniforme de Falange, todas las mozas suspiraban por él, las solteras y también las casadas, y puede que las casadas más. La monja se detuvo en seco y soltó el brazo de la guardesa. Yo de estas cosas no sé nada, dijo con firmeza, ¿por qué me las cuenta? Pudenciana bajó los ojos, temerosa de haber rebasado toda conveniencia. Usted puede hacer mucho por él, estoy segura, murmuró confusa, usted es una santa, se le ve en la cara, tiene la mirada de una santa.

La entrada de Augusto Aixelà interrumpió la plática en aquel punto. ¿Qué andas comadreando, Pudenciana?, exclamó. La guardesa ahogó un grito. Augusto Aixelà llevaba una bata de seda, por debajo de la cual asomaban las perneras de un pijama de rayadillo. En su mirada había una cólera contenida que asustó a Pudenciana. Estaba dando conversación a la hermana, balbució la guardesa, le temblaba el cuerpo. Sor Consuelo la tomó del brazo nuevamente y le dirigió una sonrisa con la que parecía decir: No tengas miedo, no repetiré una sola palabra de lo que me has dicho. Mucho palique pero ni siquiera un vaso de agua le has traído, qué pensará de nuestra hospitalidad, le recriminó el cacique, ¿y por qué no me has avisado? Quiso hacerlo, pero yo no se lo permití, terció la monja, supe que anduvo usted de caza. Así es, pero no se lo cuente a nadie: aún no se ha levantado la veda. Retírate, Pudenciana, pero no muy lejos por si te necesitamos, añadió sin apartar los ojos de la monja, y usted disculpe que la reciba así, me había echado unos minutos; pase al gabinete, tenga la bondad, me cambio y en seguida estoy por usted.

Tan pronto la guardesa se hubo retirado y antes de que él lo hiciera, masculló precipitadamente la Superiora: No he podido venir acompañada como usted me dijo porque había mucho trabajo en el Hospital. En tal caso, respondió Augusto Aixelà antes de cerrar la puerta del gabinete, le agradezco doblemente su visita. A solas en el gabinete la monja se puso a caminar de un lado a otro, presa de gran nerviosismo. ¿Por qué he venido y qué hago aquí?, se preguntaba. Oh, es inútil que intente darme explicaciones: Dios me ve; pero ¿me entiende? Este pensamiento, que parecía haberse formulado con independencia de su voluntad, hizo que se detuviera presa de espanto. ¿Qué digo? Por fuerza he debido volverme loca para pensar una cosa así, ¿qué me sucede? Miró a su alrededor como si de aquellas tallas troceadas pudiera llegarle la respuesta a sus incertidumbres. Colgado de una pared vio un espejo antiguo; habituada a la austeridad de la vida conventual, el reflejo de su propia imagen le resultaba algo insólito y se aproximó al espejo atraída por la curiosidad; en la luna desazogada apareció un rostro apenas reconocible cuyos ojos la miraban de una forma intensa y extraña. La penumbra del gabinete producía en el espejo una sensación de vacío en el que flotaba aquel rostro acongojado. Me ahogo, pensó, necesito aire o perderé el conocimiento. Trató de abrir la puerta que daba paso a la galería exterior, pero no logró descorrer el pestillo que la cerraba: ni la fuerza ni la destreza obedecían el dictado de sus deseos. Cruzó jadeando el gabinete y salió al zaguán; las dos sillas en que la guardesa y ella habían intercambiado secretos y confidencias seguían juntas, rompiendo la escueta simetría del mobiliario. La monja cruzó el zaguán, abrió la puerta por donde había escapado Pudenciana a las iras de su amo y entró en una pieza sumida en la oscuridad. Le embargó un olor repulsivo que conocía bien, pero que no podía imaginar en aquella casa. Palpando las paredes encontró un interruptor, lo accionó y se encendió una bombilla desnuda suspendida del techo por el cable eléctrico. Esta luz le reveló hallarse en una suerte de despensa, una de cuyas paredes estaba cubierta por un vasar donde se alineaban utensilios de barro; en la otra pared, colgados de una barra metálica, había dos docenas de ganchos, ensartados en los cuales se desangraban otros tantos conejos recién muertos. Desde lo alto aquellos animales parecían mirar a la monja con una expresión enloquecida a la que el miedo había impreso una inusitada fiereza. La sangre que manaba del lúgubre racimo caía en una palangana de aluminio con un sonsonete opaco y desacompasado. Movida a piedad y asco por el espectáculo, la monja dio media vuelta con ánimo de regresar al zaguán, pero al hacerlo se topó con Augusto Aixelà, que se había situado a sus espaldas sin que ella lo advirtiera. El sobresalto le hizo lanzar un grito y su cuerpo experimentó una convulsión seguida de un aparente desfallecimiento. No se asuste, exclamó él sujetándola por los hombros, sólo son conejos muertos. ¿Por dónde ha entrado?, preguntó la monja con un hilo de voz. Por la puerta, como usted, ¿está segura de que la toca no disminuye su capacidad auditiva? Ésta es la segunda vez que nos pasa una cosa semejante. Algo de eso habrá, dijo sor Consuelo recobrando la estabilidad y retirando de sus hombros las manos del cacique, vendré a verle siempre que tenga hipo. Luego añadió frunciendo el ceño: ¿Esto es lo que ha matado esta mañana? Él no percibió la expresión de reproche en los ojos de la Superiora y respondió: Ha habido días mejores, pero no me puedo quejar. Miró con orgullo la hilera de despojos y agregó: Diré que le envuelvan unos cuantos conejos para que pueda llevárselos al Hospital, yo no sabría qué hacer con tanta carne. En nombre del Hospital le agradezco el donativo, dijo la monja, pero si no quería la carne para nada, ¿por qué los ha matado? Por deporte, respondió Augusto Aixelà sorprendido, hace muchos años que la caza ya no es un medio de procurarse alimentos, sino una diversión y, como tal, un fin en sí, no me diga que la noticia la pilla de nuevas. No, pero no comprendo qué satisfacción puede haber en el hecho de matar un ser vivo. ¿Me ha de reñir siempre?, protestó él, los conejos están para eso, ¿no? Si no los matáramos arrasarían los campos, lo invadirían todo, usted sabe a qué velocidad se reproducen y qué voraces y destructivos son; por otra parte, ¿qué tiene de malo matar animales? Los Apóstoles se dedicaban a la pesca y al fin y al cabo también la muerte la manda Dios. No la manda, replicó la monja, la permite, que es muy distinto. Augusto Aixelà se echó a reír. ¿Qué le parece si continuamos hablando de teología en un lugar más agradable?, propuso. Sor Consuelo asintió con la cabeza: estaba avergonzada de haber iniciado aquella discusión. La caza no repugnaba a su conciencia; de niña había visto regresar del campo a su padre y sus hermanos con las escopetas terciadas y los morrales rebosantes de liebres y perdices. En aquella época ella misma había ayudado a colocar cepos y atrapado con liga tordos y calandrias que acababan fritos en la mesa familiar. Mi enfado es secuela del mal rato que acabo de pasar, pensó, es evidente que tengo alterado el sistema nervioso, ya no soy dueña de mis reacciones: hace un instante, en el gabinete, me puse histérica y ahora en este lugar siniestro me siento calmada y bien, incluso me permito bromas y discursitos morales. Ah, de nada sirve mentir: es su presencia la que ha operado este cambio; sin embargo, ¿cómo puedo sentirme tan segura a su lado después de las cosas tremendas que me ha estado contando Pudenciana? Bah, sin duda estas historias truculentas son infundios; de lo contrario, yo no estaría tranquila como estoy, se dijo.

5

Salieron de nuevo al zaguán y subieron las escaleras que conducían a la planta superior; allí recorrieron un pasillo largo y ancho en cuyas paredes había colgados enormes retratos. Por los resquicios que dejaban las cortinas que protegían aquellos retratos de los efectos del sol se colaban rayos de luz que evidenciaban la presencia de infinitas motas de polvo en el aire. Los retratos eran solemnes e inexpresivos, pero su tamaño y la vestimenta abigarrada de las personas retratadas les conferían un aspecto imponente; todos los retratos, aun los de niños sin duda muertos de sarampión o tos ferina en el albor de la vida, desprendían un aura de fatuidad que los hacía antipáticos. Acerca de los retratos o de quién figuraba en ellos Augusto Aixelà no abrió la boca para informar a su huésped. El pasillo desembocaba en un salón circular de techo alto, abovedado; las paredes estaban tapizadas de seda y el techo, decorado con púdicas alegorías que sostenían flores y frutos en sus brazos morcillones. En cómodas, vitrinas y bargueños relucía la plata y la yerta policromía de las porcelanas amarilleaba a la tibia claridad de la tarde en los visillos. Tampoco allí se detuvieron.

Entraron en una alcoba amueblada con sencillez monacal, que olía a alcanfor; la cama de columnas torneadas estaba hecha como si alguien ocupara regularmente aquella alcoba y un jarro, sobre el escritorio, contenía un ramillete de flores silvestres. Antes de que sor Consuelo pudiera expresar su extrañeza, dijo Augusto Aixelà: Ésta era la alcoba de mi madre, aquí pasó los largos años de su enfermedad y aquí murió; mi padre primero y luego yo hemos conservado el cuarto tal como estaba cuando ella lo dejó; el servicio se encarga de mantenerlo limpio y de cambiar la ropa, pero nadie lo ha utilizado desde aquel triste día. A veces, agregó bajando la voz, vengo un rato a este cuarto, a solas, me siento en esta silla, donde a ella le gustaba dejar pasar las horas, mirando por la ventana... Me he permitido traerla aquí porque quería que lo viera; nunca se lo había enseñado a nadie. Sor Consuelo se acercó a la ventana y separó las cortinas de cretona, vio abajo el huerto y la alberca, dejó caer nuevamente las cretonas y se apoyó en el borde del escritorio. Augusto Aixelà la cogió del brazo. Se ha puesto pálida, ¿se encuentra bien? Ella se dejó llevar en silencio a través de la casa hasta la galería exterior. Allí el papagayo la recibió con chillones fervorines maquinales. La tarde empezaba a declinar.

Siéntese, haré que le traigan algo de beber, dijo él. No, no se moleste... y no se vaya, rogó la monja, esta calma me hará más bien que cualquier otra cosa y en ningún sitio estaré mejor que aquí. Cerró los ojos y se quedó inmóvil; su rostro conservaba la misma palidez y su pecho se agitaba como si acabara de realizar un esfuerzo extenuante. Así estuvo un rato. Augusto Aixelà la observaba en silencio. Sin que mediara aviso apareció sigilosamente Pudenciana llevando un vaso de agua fresca. El cacique cogió el vaso e indicó por señas a la guardesa que los dejara solos. Luego colocó la mano libre en la mejilla de la monja y la notó febril. Al advertir el contacto de su mano ella abrió los ojos y le dirigió una mirada cargada de profunda tristeza. Bébase esta agua, dijo él ofreciéndole el vaso. La monja bebió toda el agua a pequeños sorbos y luego se puso en pie y salió caminando de la galería sin razón aparente, como si aquel acto respondiera a un llamamiento externo. Augusto Aixelà siguió sentado; primero la vio atravesar el jardín, luego desaparecer bajo el arco de cipreses recortados que daba acceso al huerto; entonces se levantó y fue tras ella con deliberada lentitud. Al llegar a la entrada del huerto se detuvo y observó: la monja paseaba por el sendero que atravesaba los sembrados perdida en sus propios pensamientos. Comprendiendo que no deseaba ser interrumpida, el cacique permaneció donde estaba sin hacer nada que delatara su presencia. Retumbó un trueno; al levantar los ojos vio aproximarse nubarrones de tormenta; alcanzó a sor Consuelo al borde de la acequia y le dijo: Está a punto de llover, será mejor que entremos, pero ella no oyó lo que él le decía: inclinada sobre el balate miraba fascinada aquella masa de agua turbia. No se acerque tanto, le advirtió Augusto Aixelà colocándose a su lado, esta alberca es traicionera: es mucho más honda de lo que parece y las paredes no ofrecen asidero a causa del limo; corre la leyenda de que aquí se ahogó hace tiempo una doncella por causa de un desengaño y desde entonces, según cuentan, la alberca está maldita. La monja se santiguó pero no apartó los ojos del agua. Los nubarrones cubrieron el cielo y ennegrecieron la superficie del agua; por un instante la sombra de las nubes reflejó en el agua formas confusas que parecían habitar el tenebroso fondo de la alberca; sin embargo, antes de que las imágenes adquiriesen significado, empezaron a caer gruesas gotas que formaron una muchedumbre de círculos. Los goterones se convirtieron en un fuerte chaparrón. En vista de que la monja continuaba inmóvil e insensible a la lluvia, Augusto Aixelà la cogió de los hombros y la obligó a dar media vuelta. De prisa o nos calaremos, gritó tratando de hacerse oír sobre el fragor de la tormenta. Ambos corrieron por el huerto enfangado en dirección a la casa. La cortina de agua, que el viento ondulaba, apenas permitía adivinar la silueta borrosa del arco de cipreses. Augusto Aixelà seguía sujetando a sor Consuelo como si quisiera impedir que la arrastraran los remolinos de viento que azotaban las ramas de los árboles y cimbreaban las cañas de las tomateras. Ella se dejaba llevar casi en volandas, sumisa y frágil como si su complexión de natural fuerte se hubiera contagiado del decaimiento en que se hallaba su ánimo. Al llegar a la galería detuvieron la carrera, permanecieron abrazados unos instantes; graznaba el papagayo asustado; Augusto Aixelà acercó los labios a los de la monja, pero ésta lo rechazó con suavidad. No, dijo en un susurro. Se desprendió del abrazo, fue hacia la puerta que comunicaba la galería con el gabinete y entró. Augusto Aixelà la siguió; dentro les aguardaba una sorpresa.

Erguido en el centro del gabinete el cabo de la Guardia Civil contemplaba con curiosidad la irrupción de aquella pareja inverosímil y desaliñada; llevaba puesto el capote y el tricornio, pero había dejado el mosquetón apoyado contra la pared. Caramba, Lastre, usted aquí, exclamó el cacique, y antes de que el otro tuviera ocasión de responder al saludo agregó: Nos ha pillado el aguacero en el huerto y venimos hechos una sopa. Lo innecesario de su explicación denotaba un aturdimiento que no pasó por alto al cabo. Tanto Augusto Aixelà como sor Consuelo se preguntaban si aquél habría presenciado la escena de la galería a través de la ventana. Creo que no se conocen, añadió el dueño de la casa recobrando su desenvoltura habitual, el cabo Lastre es el encargado de mantener la paz y el buen gobierno en esta zona, cosa no siempre fácil; sor Consuelo es la directora del Hospital. El cabo se llevó la mano al tricornio pero cuando estaba a punto de saludar militarmente se detuvo, vaciló y por último, juzgándolo más adecuado, se descubrió en presencia de la monja; ésta había inclinado previamente la cabeza, por lo que se perdió la ceremonia; por efecto de la mojadura los extremos almidonados de la toca se le doblaban sobre la cara. ¿No nos hemos visto antes, hermana?, preguntó el cabo. La monja recordaba la visita frustrada al cuartelillo en compañía de la ecónoma, pero se abstuvo de mencionarla. Tal vez nos hayamos cruzado por la calle, dijo con una humildad cuya afectación hizo sonreír al cacique. Todas son iguales, pensó, y dirigiéndose al guardia: Lamento no poder atenderle en este momento como sería mi deseo, pero es urgente que sor Consuelo se reintegre de inmediato al Hospital si no queremos que contraiga una pulmonía. El cabo interpretó correctamente la orden velada que le daba el cacique y dijo: Me hago perfecto cargo y, si me lo permiten, yo mismo la acompañaré al Hospital con mucho gusto; precisamente he venido en el Land Rover previendo que pudiera descargar como lo está haciendo; dado el estado del terreno, irá más segura en mi coche. El servicio meteorológico, dijo el cabo, había anunciado una fuerte borrasca y las autoridades habían dispuesto todo tipo de medidas para evitar sucesos como los ocurridos recientemente en Bassora y otros puntos de Cataluña. La población, sin embargo, estaba alarmada, añadió. En cuanto a lo que me ha traído aquí, siguió diciendo, ni es urgente ni reviste mayor importancia; tal vez mañana me deje caer por su casa, don Augusto, salvo que prefiera usted pasarse por el cuartelillo. Venga usted, Lastre, respondió el cacique, si el tiempo y sus obligaciones se lo permiten, y cataremos un jamón serrano que acaba de llegarme y que está diciendo cómeme. El cabo volvió a ponerse el tricornio y saludó con marcialidad. Se hizo a un lado para que Augusto Aixelà abriera la puerta; la monja salió al zaguán sin levantar los ojos del suelo, los dos hombres la seguían. Fuera seguía lloviendo torrencialmente. Traeré el coche a la puerta, dijo el cabo arrebujándose en el capote, entre cuyos pliegues asomaba el cañón pavonado del arma. Aprovechando la ausencia del inoportuno testigo, Augusto Aixelà cogió la mano helada de la monja y la atrajo hacia sí. Vuelve mañana, le dijo. Ella retiró la mano y movió la cabeza negativamente. Al menos mírame a los ojos, protestó él, pero ella se limitó a repetir el gesto. El coche se había detenido delante de la puerta. ¿No cambiarás de idea?, preguntó Augusto Aixelà. Sor Consuelo levantó la cabeza y fijó en él una mirada en la que llameaba la insania. Ni muerta, exclamó echando a correr hacia el vehículo. El cabo abrió la portezuela, en cuyo centro campeaba el escudo del benemérito instituto; tan pronto la monja hubo entrado la cerró, rodeó el coche y ocupó su asiento tras el volante. Comenzaba a rodar el coche cuando salió corriendo de la casa Pudenciana; acarreaba un paquete bastante voluminoso envuelto en un pañuelo de hierbas; brincando entre los charcos alcanzó a entregar el paquete a sor Consuelo por la ventanilla. El barro que despedían las ruedas traseras salpicó de arriba abajo el mandil de la guardesa. Cuando hubieron rebasado la cancela y salido al camino, la monja deshizo el nudo del pañuelo para ver qué contenía; varios conejos muertos cayeron rodando por el suelo del coche.

Zarandeada por el traqueteo del coche, que salvaba los accidentes más abruptos del terreno, vadeaba torrentes tumultuosos y en general avanzaba a campo través bajo una cortina de agua, sor Consuelo buscaba a gatas los conejos que rodaban por el interior. Más atento a la conducción que a su acompañante, el cabo le preguntó qué hacía y qué andaba buscando bajo los asientos, a lo que la monja respondió con un balbuceo ininteligible. El cabo aminoró la marcha. Ya sé que son conejos, dijo elevando su recia voz sobre el roncar del motor y el entrechocar metálico de la carrocería, y también sé que don Augusto los caza fuera de temporada, pero a mí tanto me da, al fin y al cabo las tierras son suyas, los conejos son suyos y los furtivos no son de mi jurisdicción; más me preocupa que salga a corretear por el monte en estos tiempos; mil veces le tengo dicho que el día menos pensado acabará como uno de esos jodidos conejos, dicho sea con perdón. La monja, que había logrado recomponer el fardo, ocupó su asiento de nuevo. Con la mano libre trataba de despegarse de la cara las alas de la toca. Debo de tener un aspecto glorioso, pensó. Y al guardia: Entonces, ¿es cierto que hay peligro en las montañas? El guardia hizo una maniobra brusca de resultas de la cual estuvieron a punto de volcar. ¿Estaría yo aquí si no lo hubiera?, rugió. Como la pregunta parecía llevar implícita la respuesta, la monja no dijo nada.

En su celda se secó y cambió de ropa, luego corrió al refectorio, donde toda la comunidad, salvo aquellos de sus miembros que hacían guardia junto a los enfermos, la esperaba congregada para que bendijera la mesa. Hizo un esfuerzo sobrehumano por comer, en parte porque no le parecía bien hacer ascos a una pechuga de pollo con pimiento escalibado mientras el resto de la comunidad apuraba con avidez una sopa de pan desustanciada, y en parte porque notaba que la ecónoma la observaba a hurtadillas. La madre Millás llevaba muchos años desempeñando el cargo de ecónoma en la comunidad y atendiendo al mismo tiempo a los arduos aspectos financieros del Hospital; ejercía ambas funciones de un modo desastroso, con la máxima ineficiencia y desorden, pese a lo cual nadie dudaba de que tan pronto como la Superiora local dejara vacante el cargo ella lo ocuparía en pago a su veteranía y sus desvelos; sin embargo, llegada la ocasión, la Superiora Provincial, tal vez considerando que la madre Millás unía a su incompetencia administrativa un carácter algo difícil y una torpeza para las relaciones sociales que eran causa de continuos malentendidos y problemas con las demás hermanas, con los médicos, con los enfermos, con los proveedores y en suma con todos cuantos tenían tratos con ella, optó por preterirla y nombrar Superiora local a sor Consuelo, que era mucho más joven que la madre Millás, pero estaba, a juicio de la Superiora Provincial y su Consejo, mejor dotada para el cargo. Puesto que la nueva Superiora local y la ecónoma debían trabajar en estrecha colaboración, la Superiora Provincial, una vez anunciada su elección, dejó en suspenso el nombramiento de la madre Millás como ecónoma y en manos de la nueva Superiora local la ratificación de dicho cargo o la elección de quien hubiera de sustituir en él a la madre Millás. Naturalmente sor Consuelo se apresuró a ratificar a la madre Millás en su antiguo cargo, aduciendo que nadie podía desempeñarlo mejor que ella y afirmando que estaba segura de que la colaboración entre ambas resultaría fácil, grata y provechosa. Desde aquel momento no había habido en su relación ningún motivo de queja, pero era lógico suponer que la madre Millás, tal vez sin darse plena cuenta de ello, abrigara cierto resquemor por el rosario de humillaciones a que había sido sometida. Sor Consuelo trató de fingir que no advertía el examen de que era objeto, pero por más que hacía no lograba comer: la mera idea de ingerir un trocito de pollo la enfermaba. Finalizada la cena y con la excusa de estar fatigada, en lugar de dar a su grey una charla edificante optó por leer fragmentos de un libro de meditaciones piadosas. Secretamente confiaba en que las monjas se distrajeran con el aguacero y no prestaran demasiada atención a la lectura, porque no sabía qué estaba leyendo ni entendía las frases que pronunciaba ni estaba muy segura de emitir sonidos comprensibles. Ahora la ecónoma la miraba con una fijeza inquietante. Un nudo en la garganta le impidió proseguir la lectura. No puedo ponerme a llorar delante de todas las hermanas, pensó, hizo señas a la madre Millás y le rogó que se situara frente al atril en su lugar. El remojón ha debido de quebrantar ligeramente mi salud, dijo, estoy algo indispuesta, lea usted, madre, y yo escucharé. Con un desmayado sonsonete leyó la ecónoma: Los que de veras aman, todo lo bueno aman, todo lo bueno quieren, todo lo bueno favorecen, todo lo bueno loan, no aman sino verdades y cosas que sean dignas; no tienen contiendas, ni andan con envidias, todo porque no pretenden otra cosa sino contentar al amado, andan muriendo porque las ame, y así ponen la vida en entender cómo le agradarán más. Al llegar a este punto sor Consuelo dejó escapar un sollozo tan sonoro que obligó a interrumpir la lectura. En medio de un silencio expectante la Superiora sacó de la manga un pañuelo y se sonó con la esperanza de que aquel grito desesperado que salía de su alma atormentada pudiera pasar a los ojos de la comunidad por un estornudo. Luego dijo: Siga, madre Millás.

Hasta muy entrada la noche continuó la tormenta. El desalmado resplandor de los relámpagos se colaba por los postigos de la celda de sor Consuelo y poblaba las paredes de efímeros fantasmas, retumbaban los truenos con acentos de ultratumba y el aire traía el olor a azufre de la tierra golpeada por los rayos. Por primera vez en su vida sor Consuelo experimentó el terror de la cólera divina y pasó horas interminables con la cabeza bajo el embozo, implorando la intercesión de la Santísima Virgen María. En el transcurso de la noche tuvo ocasión de reflexionar largamente sobre lo ocurrido la víspera y en general sobre los acontecimientos que la habían conducido a su actual situación y de ver lo insostenible que era ésta. En los términos más firmes y solemnes prometió remediar el mal cometido y cerrar la puerta a nuevas ocasiones de pecar. Con la primera luz del alba redactó una larga epístola dirigida a la Superiora Provincial; en ella sor Consuelo confesaba sus faltas sin omitir detalle: he puesto mis ojos y apetencias en un objeto humano y he encubierto mi falta con mentiras, decía, un orgullo que no dudo en calificar de satánico me hizo creer que podía enfrentarme al mundo y salir incólume de su contacto; ahora sé hasta qué punto andaba errada y cuán frágil es el alma frente al embate de las pasiones cuando Dios Misericordioso no la sostiene con su divina gracia. Por estas razones, continuaba diciendo la carta, imploraba el perdón de la reverenda Superiora Provincial y por su mediación el de la reverenda Superiora General, en cuyas manos se ponía para recibir de ellas el castigo que estimasen oportuno imponerle; ella, por su parte, renovaba sus votos de obediencia, pobreza y castidad y suplicaba a la jerarquía se dignara concederle el traslado a otro lugar, alejado de aquel donde se hallaba, y a pasar de la vida apostólica y el cuidado de los enfermos a una vida contemplativa de perpetuo silencio y soledad. Releyó lo escrito, lo encontró satisfactorio y lo firmó. Luego lo metió en un sobre, que dirigió a la reverenda Superiora Provincial de la orden, y lo franqueó. Acto seguido tomó otro pliego de papel y comenzó una segunda carta, dirigida a Augusto Aixelà, y redactada en los siguientes términos: Muy señor mío, razones de salud me obligan a abandonar de inmediato el Hospital y a trasladar mi residencia a otro lugar; no quisiera sin embargo marcharme sin despedirme de usted agradeciéndole sus muchas atenciones y rogándole disculpe las molestias que le haya podido causar. Ignoro si esta decisión, continuó escribiendo, te causará el mismo dolor que a mí me está causando, pero has de comprender, amor mío, que a veces es preciso abrir los ojos a la luz y cerrar el corazón al sentimiento; ¿sabrás comprenderlo y perdonarme? Hazlo, mi amor, mi bien, porque más me importa tu perdón que el de Dios mismo. Al llegar a este punto se dio cuenta de que empezaba a desvariar. Rompió la carta en pedazos diminutos, se levantó y abrió de par en par los postigos de la ventana. El sol salía en aquel momento y del cielo había desaparecido todo rastro de nubes. Creyendo ver en la bonanza una señal de absolución, dio gracias a Dios, se aseó y acudió a la llamada de maitines. Al pasar por el vestíbulo camino de la capilla encontró al cartero, que entregaba la correspondencia a la hermana portera. Madruga usted hoy, le dijo. Si señora, respondió el cartero, con la tormenta de ayer no hubo reparto y hoy, faena doble. Por suerte, añadió, esta vez no ha habido inundaciones. Otro signo premonitorio, pensó la Superiora. Sacó de la faltriquera la carta dirigida a la Superiora Provincial y se la entregó al cartero diciéndole: Tenga, hágase cargo de esta carta y me ahorrará ir hasta correos a echarla.

En el confesonario dormitaba mosén Pallarés. Padre, he sentido la llamada de la carne, cuchicheó, y he pecado de temeridad y orgullo. Hija mía, Dios Todopoderoso permite que el diablo nos tiente para probar nuestra fe; no hemos de caer en la tentación, como nos enseñó Nuestro Señor Jesucristo cuando rechazó por tres veces los ofrecimientos y halagos del Maligno; reza mucho, la oración es lo mejor. Estoy muy confusa, padre, ayúdeme. Concéntrate en tu trabajo, hija mía, piensa que Dios te ha confiado una importante labor en la tierra; pero que este trabajo no te envanezca ni te aparte de Dios: al igual que Cristo desdeñó ser rey de este mundo, así nosotros hemos de comprender que el trabajo sólo ha de ser un medio para ir a Cristo: bueno si nos ayuda a alcanzar esta meta, malo si nos aleja de ella; de ningún modo debemos permitir que el trabajo nos ligue a las cosas terrenales. Entontecida por las tribulaciones y desvelos de las horas precedentes, aquellas palabras vacuas le parecieron un dechado de sabiduría. Gracias, padre, ahora lo veo todo claro, musitó besando la estola que asomaba entre las cortinillas del confesonario. Comulgó y se sintió invadida de dicha, como si todo cuanto había motivado la desesperación del día anterior hubiera sido borrado de su vida y su memoria. Por la noche se acostó vencida por el cansancio físico y se durmió en el acto.

Se despertó poco antes del alba oprimida por una idea que aparentemente había cristalizado en su mente mientras ella dormía y que ahora se presentaba a sus ojos como algo axiomático e inexcusable. Si ayer por la mañana salió la carta, hoy mismo llegará a manos de la Superiora Provincial, se decía, la cual, dada la índole de su contenido, tomará medidas inmediatas con respecto a mi traslado; es muy probable que dentro de dos o tres días tenga que marcharme de aquí para siempre y si ha de ser así, no puedo irme sin darle una explicación a Augusto Aixelà; al fin y al cabo él no tiene la culpa de lo que ha ocurrido; si ha mostrado algún atrevimiento ha sido sólo porque yo le he dado pie, y en última instancia él no está obligado por ningún voto a guardar una conducta intachable. Luego siguió diciéndose: Son muchos los favores que le debo, no a título personal, sino como representante de una orden religiosa a la que dejaría en muy mal lugar si ahora me fuera sin mediar palabra. Sabe Dios hasta qué punto no habrá comprometido frente a las autoridades de Madrid su prestigio y su patrimonio al salir garante de mis fantasías. Sería realmente una bajeza el que yo ahora en beneficio exclusivo de mi bienestar espiritual me comportara con él de un modo altanero y displicente. Esta idea la estuvo asediando todo el día, el paso de las horas se llevaba consigo la última oportunidad de despedirse de Augusto Aixelà y contra el sufrimiento que le producía esta certeza no encontraba argumento disuasorio. Escribirle sería inútil, se decía, ya lo intenté con resultados deplorables; es preciso que vaya a verle y le exponga las cosas cara a cara tal cual son. Después de comer, sin avisar a nadie, salió del Hospital; a la hermana portera le dijo: Voy a un recado, no tardo. La hermana portera inclinó la cabeza en silencio y cuando hubo salido cerró la puerta a sus espaldas.

6

Iba de prisa, mirando continuamente hacia atrás y hacia los lados del camino, porque temía ser vista por otras personas; en las encrucijadas se detenía y sólo se aventuraba a pasar por ellas cuando estaba segura de que no había de toparse con nadie. Al doblar un recodo vio venir el coche de la Guardia Civil y se ocultó entre los matorrales que crecían en la cuneta, las zarzas le rasguñaron las manos, el vehículo pasó a escasos metros del escondrijo levantando una nube de polvo que quedó inmóvil en el aire cálido de la tarde. No salió hasta que se hubo extinguido en la lejanía el ruido del motor y sólo las chicharras perturbaban la quietud del campo. Ante la cancela entreabierta no pudo menos de recordar con nostalgia su primera visita a aquella casa, a la que ahora acudía por última vez, y su encuentro con los perros guardianes, que esta vez, a diferencia de entonces, acudían retozando alegremente. León, Negrita, mis queridos amigos, les dijo acariciándoles.

Los perros le lamieron la sangre que pespunteaba el dorso de sus manos. Acudió Pudenciana y dijo: La esperaba, el amo me dijo que vendría usted, yo le contesté que no, pero él me dijo: vendrá, estáte atenta y tráela aquí sin falta. He venido a despedirme, Pudenciana, suspiró la monja. Augusto Aixelà la recibió en el gabinete. Déjanos solos, Pudenciana, ordenó. No; tráeme un vaso de agua fresca, tengo la boca seca, dijo sor Consuelo en el tono tajante de quien está acostumbrada a mandar sin esperar réplica. La guardesa titubeaba. Haz lo que te ha dicho la Superiora, dijo el cacique. Apenas Pudenciana hubo salido, Augusto Aixelà se abalanzó sobre la monja, ella forcejeó para desprenderse del abrazo. Suéltame, tartamudeó. Él la dejó ir y ella se situó al otro extremo de la pieza. Si no quieres que te abrace, ¿a qué has venido?, le preguntó. A decirte adiós; he escrito una larga carta a la Superiora Provincial y en ella le digo que debo abandonar este lugar; también pido mi ingreso en clausura; mi decisión es definitiva y la carta ya ha sido enviada. Hizo una pausa, carraspeó y añadió con más tranquilidad: Quería decírtelo de viva voz. Augusto Aixelà guardó silencio, como si meditara lo que acababa de oír, luego preguntó: ¿Por qué quieres enterrarte en vida? Porque te amo, respondió ella con presteza, no sé cuándo me enamoré de ti ni cómo sucedió tal cosa, porque trato de recordar y me parece que te he querido siempre y trato de entender y no encuentro razón en el mundo para no amarte. Tal vez, añadió, te sorprenda oírme admitir estas cosas con una llaneza que roza la impudicia, pero advierte que lo hago como quien proclama una ignominia y piensa que la práctica diaria del sacramento de la confesión me ha hecho inmune a la vergüenza de mis propias culpas. ¿Qué tiene de culpable el amor?, preguntó Augusto Aixelà. El amor en general, no lo sé; el mío, que contraviene la voluntad de Dios, con eso basta, contestó la Superiora. No la voluntad de Dios, sino la tuya, replicó él, fuiste tú quien decidió apartar el amor de tu vida y entrar en religión, pero ahora que el amor se ha impuesto de modo inexorable, ¿qué sentido tiene seguirlo desdeñando? Tú tomaste la decisión, tú puedes cambiarla, somos libres y Dios no puede pedirte una renuncia que implica por fuerza tu desdicha y también la mía: es antinatural e inhumano. Dios exige mi entrega a costa de lo que sea preciso, contestó la monja, esto lo sabía cuando hice los votos y lo sé ahora con la misma certeza de entonces, y te suplico que no insistas, porque esta conversación no conduce a nada y me resulta en extremo dolorosa. Entró Pudenciana con el vaso de agua y se lo tendió a la monja, que lo apuró sin pausa y se lo devolvió a la guardesa; ésta salió de nuevo con tanta prontitud como sigilo, porque aun en el silencio reinante percibía que allí se estaban solventando cuestiones de la máxima importancia. Con todo, la breve interrupción sirvió para aliviar un poco la carga emocional de la entrevista.

¿Y el proyecto?, preguntó Augusto Aixelà, si tú te vas, ¿qué será del asilo de ancianos? Otra persona más digna lo llevará adelante, contestó la Superiora. Tú sabes que no será así, replicó él, nadie tiene tu capacidad ni tu entusiasmo y por nadie removería yo cielos y tierra como he hecho por ti. Entonces no habrá asilo, dijo sor Consuelo con deliberado aplomo, es una lástima, pero algo más trascendental anda en juego. Augusto Aixelà replicó: ¿Más trascendental para quién? ¿Para ti o para aquellos ancianitos que tanto te conmovían hace un mes y que ahora te parece normal echar por la borda porque peligra tu integridad? ¿No será que el famoso proyecto no tenía otra finalidad que tu propio engrandecimiento? No digas falacias, interrumpió la monja, sabes de sobra que el mayor bien no puede comprarse a este precio. En los ojos de Augusto Aixelà brillaba la indignación; dio un paso al frente, ella retrocedió, pero él no continuó su avance. ¿Por qué hablas de precio?, dijo, ¿te he pedido yo algo alguna vez? Ella bajó los ojos y negó con la cabeza, él prosiguió diciendo: ¿De qué te arredras? Sólo de enfrentarte a ti misma: esto es lo que tú llamas precio: la necesidad de bajar del pedestal en que estás encaramada y aceptar tus flaquezas; así es, somos seres humanos y no podemos hacer nada que tenga sentido sin pagar el precio de asumir nuestra frágil condición; hasta Jesucristo tuvo que pagarlo para llevar a cabo su labor redentora, hacerse hombre, sufrir, ser tentado y pasar miedo como tú. Dio otro paso hacia la monja, que no se movió; levantó los ojos del suelo y los clavó en el hombre, gruesas lágrimas resbalaban por sus mejillas y le temblaban los labios. Susurró: Calla, eres el mismo diablo. Él se echó a reír. ¿El diablo?, ¡vaya diablo!, ¿soy yo acaso el que tienta?, ¿no serás más bien tú la que me tienta a mí? Yo no fui a buscarte a tu celda ni soy yo quien te ha hecho venir hoy a mi casa. ¿Por qué venías si era yo el diablo?, ¿y por qué venías siempre sola? Decías que no podías hacerte acompañar de nadie porque había mucho trabajo en el Hospital ¿Crees que no sé que en el bendito Hospital hay trece monjas y apenas media docena de enfermos? Sor Consuelo hizo un gesto imperioso con la mano. Ahórrate el discurso: ni te oigo ni te escucho; pero no tengas miedo: es evidente que no eres el diablo, porque si lo fueras sabrías que no son tus argumentos lo que me acabará perdiendo. Como una exhalación salvó la distancia que los separaba y se abrazó a él con tal vehemencia que le hizo trastabillar.

Media hora más tarde sor Consuelo seguía tendida en el sofá del gabinete con los párpados entrecerrados y sumida en un hosco mutismo. Cuando levantaba los ojos le parecía sentir en su vientre expoliado las miradas ceñudas de las viejas tallas mutiladas que adornaban las paredes. Augusto Aixelà, que fumaba de pie, recostado contra la mesa, rompió el silencio para decir: Yo pensaba que las monjas llevabais la cabeza rapada. La frivolidad de estas primeras palabras tuvo el efecto de tranquilizarla. Antes sí, respondió, pero durante la guerra muchas monjas que trataban de huir de la barbarie fueron reconocidas por este rasgo tan singular y lo pagaron con su vida; desde entonces nos dejan llevar el pelo así. Se pasó la mano por la nuca y murmuró en el mismo tono: ¿Qué será de mí ahora? No te hagas mala sangre, dijo él, aquí no ha pasado nada; ¿no te confiesas a diario?, pues mañana a estas horas ya habrás obtenido el perdón de este pecado y tienes por delante la vida entera para ser virtuosa y disfrutar de tu asilo de ancianos; al fin y al cabo ahora ya no hay razón para que renuncies a él. Antes de que ella pudiera replicar sonaron unos golpes en la puerta. ¿Quién va?, rugió el cacique, pero sin responder a esta pregunta ni aguardar autorización, Pudenciana abrió la puerta y asomó la cabeza. Chilló la monja sorprendida en el sofá y se quedó sin habla la guardesa; la recobró al punto y dijo: Disculpen la intromisión, pero el cabo de la Guardia Civil desea ver al señor. Dile que hoy no puedo atenderle, que iré mañana sin falta al cuartelillo. Es que dice que usted le invitó antier a comer jamón y además que tiene algo urgentísimo de que hablarle. Augusto Aixelà aplastó el cigarrillo en el cenicero con una saña fingida, porque aquella visita inesperada le brindaba la ocasión de dejar muchas preguntas sin respuesta. Está bien, mascullό, ahora salgo. Cuando Pudenciana hubo salido sor Consuelo dijo: Para obtener el perdón de Dios hay que haberse arrepentido de lo que uno ha hecho y yo de esto no me arrepentiré jamás, estoy perdida. Augusto Aixelà la miró un rato antes de responder: No te preocupes de estas cosas, mujer, ya habrá tiempo de hablarlas con más calma; ahora debes darte prisa: pronto oscurecerá y ya has oído que me está esperando el cabo: no querrás que nos sorprenda en estas condiciones. Tan pronto como hubo acabado de componer su atuendo la llevó del brazo hasta la cortina que ocultaba la puerta del jardín. Sal dando la vuelta a la casa por aquel lado y no te verá nadie, le dijo. Se disponía a abrir la puerta, pero ella puso la mano sobre el pestillo y le dijo: Espera, he de saber algo, no mientas: ¿tú me quieres? Claro, mujer, respondió él, ¿por qué lo preguntas? Ella suspiró y dijo: Pensé que una vez conseguido el objetivo que perseguías perderías todo interés. No seas chiquilla, le reconvino él. ¿Me querrás siempre? Sí. Entonces volveré esta noche, anunció ella. Te estaré esperando, dijo él. Se va el sol y con él mi recato, pensó al encontrarse sola en la galería exterior bañada por la luz dorada del crepúsculo. Ave Marrrría Purrrrísima, gritó al verla el papagayo.

No acudiré esta noche al refectorio ni a la oración, le dijo a la hermana portera cuando llegó al Hospital, dígale a la madre Millás que se ocupe de todo; no quiero que nadie me moleste bajo ningún pretexto. La hermana portera abatió la frente y dijo: Ha estado aquí el cabo de la Guardia Civil, en vista de que usted no estaba dijo que volvería a pasar; si viene ¿qué le digo? Este hombre no sólo es inoportuno sino ubicuo, pensó la Superiora, ¡qué pesadilla! Y en voz alta: Ya he dicho que hoy no quiero ver a nadie, hermana, no discuta mis órdenes.

A solas en la celda su ánimo fue presa de las disposiciones más contradictorias: pasaba de la alegría a la aflicción en un instante y tan pronto caía en el estupor y la molicie propios del impacto emocional y físico que había experimentado pocas horas antes en el sofá del gabinete como se sentía dominada de una energía desbordante que la obligaba a recorrer la angosta celda a grandes zancadas y a hacer zapatetas en el aire para desahogarse. El convencimiento de haber rendido alma y cuerpo al hombre amado le resultaba insoportable, pero anhelaba correr de nuevo a su encuentro para volver a hacerlo: sentía una irreprimible necesidad de entrega, que todos los impedimentos humanos y divinos no hacían más que acrecentar. En este delirio dejaba transcurrir las horas a la espera de que la comunidad se recogiera y el amparo de la noche le permitiera abandonar el Hospital sin ser vista. El rumor amortiguado de los rezos y los cantos que llegaba de la capilla exasperaba a la Superiora. ¿Es que no van a dejar de cantar nunca estas bobaliconas?, se decía. Luego, escandalizada de su propia vileza, se cubría la cara con las manos y pedía a Dios que no la abandonara en aquel trance decisivo.

Cuando se fueron acallando las voces y luego el susurro de pasos y los sonidos apagados que acompañaban el retiro de las monjas, sor Consuelo se decidió a dejar la celda. La oscuridad reinante no era obstáculo para la Superiora, que había estudiado minuciosamente la disposición del Hospital con miras a su reforma: ahora podía orientarse a ciegas en aquel laberinto de salas, corredores y escaleras. Sin tropiezo llegó al vestíbulo; en una hornacina ardía una lámpara votiva ante la efigie de la Dolorosa. No hace falta que pongas esta cara, susurró la monja dirigiéndose a la efigie, ya sé que voy a cometer el más horrible de los pecados, sólo te pido que mis culpas no recaigan sobre el Hospital. Con su llave abrió la puerta, salió al exterior, cerró de nuevo con llave y arrojó el llavero al interior por la mirilla. La Superiora Provincial tiene mi carta; cuando le digan que desaparecí dejando atrás las llaves, entenderá, se iba diciendo mientras se alejaba de la sombra descomunal del edificio. No había luna y el pálido fulgor de las estrellas apenas si le permitía ver a un palmo de los ojos; se arrepintió de no haberse provisto de un candil. Acababa de formular este pensamiento cuando de la maleza que crecía a ambos lados del camino surgió una figura que sostenía una linterna; un grito de espanto salió de su garganta a la vista de aquella aparición. También la extraña figura lanzó un grito y estuvo a pique de dejar caer la luz. Luego se repuso y dijo: No grite, hermana, ni se asuste, que no pienso hacerle ningún mal. Al decir esto dirigía el haz de la linterna hacia su propia cara y sonreía: la luz sesgada del farol imprimía a sus facciones muecas de espectro. Me llamo Hilario, añadió descubriéndose con humildad, soy pastor, vecino de este pueblo y hombre de bien, aunque algo corto de luces; esta noche he dejado el rebaño en el redil para venir a buscarla. ¿A mí?, ¿estás seguro de que es a mí a quien buscas?, preguntó la monja desconcertada. El pastor movió la cabeza afirmativamente y señalando la mole del Hospital con el cayado, dijo: Hace casi dos horas que la espero; quise entrar, pero encontré la puerta cerrada a cal y canto. La puerta del Hospital no está cerrada nunca para nadie, replicó la Superiora. Hoy lo estaba para mí, dijo el pastor, si no, ¿a qué habría esperado fuera? Y sin dar tiempo a que la monja protestara agregó: Hay una persona enferma que necesita ayuda y yo he venido para llevarla con esta persona y que nos la cure. ¿Tan mal está que no podéis traerla al Hospital? No puede venir, hermana, no me pregunte más, respondió Hilario entre dientes. Pues si tan grave es el caso, ¿por qué andabas merodeando? ¿No sabes llamar al timbre? No podía llamar, nadie ha de saber que he venido, sólo usted, dijo el pastor, y no quise entrar por la ventana para no hollar la clausura con mis alpargatas, por eso la esperaba fuera, rezándole a la Virgen para que saliera. Sor Consuelo se quedó pensativa; luego preguntó: ¿Quién es esa persona tan enferma?, ¿tu mujer? No, a Dios gracias soy soltero, dijo Hilario. ¿Un pariente? Sí, eso sí, un primo hermano. ¿Qué tiene tu primo? Tampoco se lo puedo decir, respondió el pastor; sólo puedo decirle que ha de venir conmigo sin falta, que si usted no viene, se morirá. ¿Y por qué yo y no un médico? Ha de ser usted o nadie, repitió el pastor, no me pregunte más. Yo sé muy poco de medicina, advirtió la monja. Bastará, dijo el pastor, si no perdemos más tiempo. Necesitaré el maletín de urgencias. Donde vamos hay lo necesario, replicó el pastor, pero no puede usted venir así vestida. Se agachó, rebuscó entre las matas que le habían servido de escondrijo y sacó un fardo que tendió a la monja. Póngase estas ropas. Sor Consuelo entreabrió el fardo y a la luz de la linterna vio unas prendas femeninas usadas, de tela tosca. Póngaselas sin reparo, que yo no miro, dijo el pastor, y aunque mirara, con esta noche de lobos tampoco iba a ver nada. Viendo que la monja titubeaba agregó en tono firme: Hermana, haga lo que le pido de prisa y no pregunte más.

7

Caminaba con seguridad y ligereza el pastor por aquel terreno abrupto cuyos accidentes conocía al dedillo. La monja a duras penas podía seguirle y a cada instante había de recabar su ayuda. Entonces el pastor la cogía del brazo con mucho respeto y le hacía salvar cualquier obstáculo con sorprendente facilidad: de sobra se veía que aquello era lo que hacía a diario con las reses confiadas a su cargo. Al cabo de una hora se detuvieron en un claro del bosque; el pastor encendió una cerilla y la apagó al instante. La monja le preguntó qué hacía. Una señal, dijo el pastor, ahora hemos de esperar. La monja aprovechó aquella pausa para preguntarle: ¿No nos hemos visto antes tú y yo? Tu cara no me es desconocida. No creo, respondió el pastor, yo estoy siempre en el campo con las ovejas, nunca bajo al pueblo y al Hospital menos, a Dios gracias. Apenas acababa de decir esto el pastor, cuando hizo su entrada en el claro un hombre bajo y corpulento que renqueaba al andar. ¿Es éste tu primo?, preguntó la monja. Primo sí, pero no el que está enfermo, dijo el pastor, a éste le dicen *lo coix*. El recién llegado se quitó la gorra y tendió a la monja una mano ruda. Soy *lo coix* y le agradezco mucho que haya venido. La monja le estrechó la mano mientras escudriñaba en la oscuridad los rasgos de aquel hombre; entonces advirtió que llevaba una escopeta terciada a la espalda. El pastor se despidió de ellos: Buena suerte, hermana, buena suerte, *coix*, dijo antes de desaparecer sigilosamente tras la maleza. Descansemos un rato si quiere, hermana, dijo *lo coix* señalando la montaña que se alzaba frente a ellos, nos espera un trecho empinado. No estoy cansada, respondió sor Consuelo, pero tampoco estoy acostumbrada a escalar cerros, no sé si podré. Si puedo yo, que sólo tengo una pierna y media, podrá usted, que tiene dos bien firmes, dijo *lo coix*. Al oír este comentario, sor Consuelo recordó que la falda que llevaba sólo le cubría hasta poco más abajo de las rodillas. Vamos allá, dijo. El hombre desenrolló una cuerda que llevaba, se ató un extremo a la cintura y el otro a la cintura de la monja. Así nos caeremos los dos si alguno da un mal paso, bromeó. ¿Qué hora es?, preguntó sor Consuelo al llegar a la cumbre de la montaña. Poco menos de las dos serán, dijo *lo coix* mirando las estrellas que titilaban por millares en el cielo. Sor Consuelo suspiró. ¿Falta mucho? No, ya casi estamos, dijo *lo coix*, es usted muy fuerte y muy ágil, hermana, y también muy valiente, agregó, es una pena que esta tierra no dé más mujeres como usted.

Anduvieron un rato más hasta avistar en un repecho del monte un refugio de piedra ante cuya puerta montaban guardia dos hombres armados; a unos cuantos pasos de allí media docena de hombres formaban círculo alrededor de una hoguera. El refugio presentaba un aspecto de gran abandono: había boquetes en los muros, le faltaba la techumbre y los postigos del ventanuco colgaban precariamente de las bisagras. Entre, hermana, y no tenga miedo, dijo *lo coix*. No tengo miedo, dijo la monja. Dentro había un hombre sentado al amor de unas brasas que ardían en el suelo. Se volvió al oír chirriar los goznes de la puerta y dijo: Sabía que vendría, hermana. ¿Eres tú el enfermo?, preguntó sor Consuelo. Por toda respuesta el hombre prendió con una tea un velón de aceite; la luz verdosa iluminó su demudada fisonomía. ¡Cómo!, exclamó la monja al reconocer al hombre a la luz del velón, ¿tú eres el famoso bandolero? No tenga miedo, repitió el bandolero. No tengo miedo, volvió a decir la monja, me sorprende el verte, aunque ya me había percatado de que no eras tan tonto como simulabas. El bandolero se echó a reír. Ni usted tan lista como se cree, dijo, yo no soy tonto, pero sí lo es el jardinero de casa Aixelà; ha tratado usted con dos personas distintas creyendo que era una sola. A la monja le costó un rato dar en el quid de la cuestión. No me digas que el jardinero también es primo tuyo, dijo al fin. El bandolero celebraba su argucia con risa de conejo. Sí, y también el pastor y *lo coix*; éste ha sido un pueblo aislado durante siglos, aquí las gentes se casaban entre ellas: ahora todos somos primos y nos parecemos; gracias a esta circunstancia puedo moverme por cualquier parte con entera libertad, me basta con cambiarme la ropa con otro para ocupar su puesto sin que los guardias ni los ricos se den cuenta: para ellos todos somos lo mismo. Ya ve, añadió con sorna, si nos hicieran más caso se ahorrarían muchos disgustos, pero está en su naturaleza servirse de los de abajo sin mirarles a la cara. Sufrió un escalofrío y se arrebujó en la manta que llevaba echada sobre los hombros. ¿No va a curarme?, dijo. Sí, pero acaba de contarme qué hacías en casa de Augusto Aixelà, ¿querías secuestrarle? Volvió a reír el bandolero y dijo: ¿Secuestrarle? No,

¿para qué? Ese tío no tiene familiares ni amigos: nadie pagaría un duro por él; incluso es posible que muchos se alegraran de su desaparición. Yo sólo planeaba un robo; había oído decir que en la casa hay una colección de obras de arte de gran valor y pensé que estarían mejor en mis manos que en las de ese rufián, de modo que reemplacé a mi primo el tonto unos días y averigüé dónde guardan las cosas y qué medidas de protección tienen o creen tener; también me hice un duplicado de las llaves, mire. Señaló un rincón del refugio en el que había un fusil ametrallador, munición, media docena de bombas de mecha y otros objetos; entre éstos vio la monja una argolla metálica como de un palmo de diámetro de la que colgaban muchas llaves. Con este juego no hay cerradura en todo el pueblo que se me resista, dijo en tono ufano el malhechor, hasta en el Hospital puedo entrar si se me antoja, pero no tema, que no lo haré. Pues más valdría que lo hicieras y te quedaras en él, porque estás tiritando de fiebre, dijo sor Consuelo. Es el relente, protestó el salteador de caminos. Calla, simple, que todos los enfermos hacéis lo mismo: os creéis que mintiendo desaparecerán los males, ¿dónde te duele? El salteador de caminos apartó la manta que lo cubría y extendió la pierna izquierda: la pernera del pantalón había sido rasgada y una venda ensangrentada le cubría el muslo. La monja acercó el velón y examinó el miembro herido. ¿Qué ha sido? Un tiro, dijo el malhechor, por chiripa salió la bala por el otro lado sin romperme el hueso, pero no puedo mover la pierna ni me sostiene. Claro, y un milagro será que no la pierdas, ¿quién te ha curado? Los de la banda. Ya se nota, dijo la monja, ¿dónde está el botiquín? El bandolero señaló un fardel en cuyo interior encontró la monja equipo quirúrgico y medicamentos rapiñados sin ningún criterio en asaltos a farmacias y casas de socorro. Con unas tijeras empezó a cortar las vendas que ceñían la pierna del salteador de caminos, pero la operación le resultaba tan dolorosa a éste, que la monja hubo de interrumpirla y pedir ayuda a *lo coix* para que le inmovilizara. Cuando hubieron acabado dijo: Poned agua a hervir en un cazo limpio y dejadla que hierva diez minutos por lo menos; también necesitaré penicilina: que vaya Hilario al Hospital y la traiga; si le preguntan algo, puede responder que yo le envío. El lugarteniente miró a su jefe y éste hizo un ademán afirmativo con la cabeza. Confío en usted, dijo el bandolero cuando el otro hubo salido. Qué remedio te queda, dijo la monja. Hablo en serio, desde que la vi supe que era usted una santa. ¿Lo ves?, deliras, dijo la monja. Sé por qué fue a casa de Augusto

Aixelà, siguió diciendo el bandolero sin hacer caso de la interrupción, oí parte de lo que hablaban y Pudenciana la Pelona me contó el resto: lo del asilo de ancianos, una buena acción. Mi madre, agregó tras una pausa, va a cumplir los ochenta años, está casi ciega y no tiene quien la cuide; toda su vida ha trabajado en el campo de sol a sol y ahora no tiene quien le haga la comida, ya ve usted qué triste caso. Más triste ha de ser tener un hijo delincuente como tú, replicó la monja, si tanto te preocupa tu madre, lo que has de hacer es volver a su lado y reformarte. ¿Reformarme yo?, respondió con sarcasmo el bandolero, ca, no me dejarían. En cuanto a mi madre, añadió, yo sé que está orgullosa de mí; no lo dice, pero está orgullosa. Calló un rato, abstraído en sus propios pensamientos; luego, recuperando el hilo de la conversación, dijo: Es usted un alma noble, pero llama a una puerta equivocada: Augusto Aixelà, con perdón de la palabra, es un cabrón y un miserable: le tomará el pelo y no le dará ni un céntimo; todos los ricos son así; si no fueran así no serían ricos; yo he robado a muchos y los conozco bien: robando se aprende mucha psicología. Delante de una escopeta cargada la gente se sincera más que en el confesonario, hermana, créame. Tú estáte quieto y no sigas diciendo disparates, dijo sor Consuelo. No son disparates, repuso el bandolero, sino la pura verdad, pero usted no quiere oírla, porque está como embobada: ese petimetre le ha sorbido el seso con sus ridículos modales y su pretendida generosidad: todo impostura; hágame caso, hermana, ese hombre no le conviene: no le entregue el corazón; otras cosas, allá usted; pero el corazón, no se lo dé si no quiere perderlo para siempre. La monja se quedó mirando estupefacta al bandolero. ¿De qué me estás hablando? Sonrió el herido con pesadumbre y respondió: De lo que he visto y de lo que sé; para ser un buen bandido es preciso estar bien informado, y yo lo estoy, vea. Con esforzadas contorsiones logró sacar del bolsillo del pantalón un sobre sucio y arrugado que mostró a la monja; ésta reconoció al punto la misiva escrita de su puño y letra. ¿De dónde la has sacado, sinvergüenza?, exclamó. Usted se la dio al cartero en mano, contestó el malhechor, y él a mí, ya ve qué fácil. Hizo amago la monja de apresar la carta, pero el otro fue más vivo y retiró el brazo a tiempo. Rompió a llorar la monja y dijo: Es una carta confidencial dirigida a la Superiora Provincial; no tienes derecho a enterarte de lo que contiene. Pierda cuidado, hermana, dijo el bandido, sólo usted y yo conocemos el contenido y aun la existencia de esta carta, y yo sé tener la boca cerrada. Al decir esto iba rompiendo la carta; luego echó a las brasas los trocitos de papel; el resplandor de las llamas devolvió por un instante colores de arrebol a aquellos rostros macilentos. Su puesto no está entre las rejas de un convento, sino al frente de un asilo, murmuró el bandolero cuando se hubo apagado la última pavesa; ahora me debe este favor.

A lo lejos se oyó ulular a un perro o quizá un lobo. La monja había lavado y desinfectado la herida del bandido y le había administrado un calmante. El bandido dormía junto al fuego; cubierto por la manta hasta la barbilla le castañeteaban los dientes. De cuando en cuando se abría la puerta del refugio y *lo coix* asomaba la cabeza, contemplaba un rato a su jefe y preguntaba en voz baja: ¿Como va? Descansa, ¿y la penicilina? Hilario no ha vuelto todavía. ¿Qué hora es?, preguntaba la monja. A solas con el herido sor Consuelo cabeceaba. Tengo sed. La monja despertó turbada al oír esta súplica, como si al dormitar hubiera incurrido en falta, y se santiguó maquinalmente, luego dio de beber al bandolero. Ya me encuentro mucho mejor, dijo éste, pero al ponerle la mano en la frente sor Consuelo la notó perlada de sudor frío. Esto te enseñará a no andar cometiendo fechorías, le dijo con ternura. El salteador de caminos sonrió. No sirvo para otra cosa, dijo, nací malo y la sociedad me hizo aún peor. ¡Valiente excusa!, dijo la Superiora. No es excusa, hermana, el mundo está hecho así: al que es bueno lo vuelve malo, y al que ya es malo, sólo le da motivos para seguirlo siendo, es la pura verdad. Olvide lo que le han enseñado en el convento, prosiguió, y mire a su alrededor: verá cuál es el orden natural de las cosas: al pajarillo indefenso se lo come el halcón, pero al halcón no se lo come nadie; la naturaleza es cobarde y despiadada; los hombres, también. Las leyes están hechas por los ricos para tener a raya a los pobres y conservar sus privilegios. A los ricos no les importa que la ley sea severa, porque no teniendo necesidades, tampoco tienen motivos para quebrantarla; es fácil ser millonario y decir: cien años de cárcel al que roba diez cochinos duros. Los jueces y los policías están al servicio de los ricos, y de la santa madre iglesia, mejor no hablar: los curas son bufones de los poderosos; los obispos son unos globos inflados con ventosidades, y el Papa de Roma, dicho sea con el debido respeto, es una puta vieja y loca. Si continúas diciendo cosas necias e impías, atajó la monja con energía, me voy y dejo que te curen tus correligionarios. Me callaré por no ofenderla, dijo el malhechor, pero estoy convencido de que en el fondo usted piensa como yo. Como tú sólo piensan cuatro chiflados, replicó ella, y así os luce el pelo. Además, añadió, estoy segura de que no eras tan malo como tratas de aparentar. Esto lo piensa porque usted es una santa y no conoce el mundo ni los hombres, dijo el malhechor. Conozco lo suficiente para saber que no debemos juzgarnos los unos a los otros, dijo la monja. El otro guardó un rato de silencio y cuando ya parecía que daba por concluida la conversación añadió de súbito, como si prosiguiera en voz alta el hilo de sus propios pensamientos: Por salir del hoyo de miseria y embrutecimiento a que me había condenado el destino, empuñé las armas en la guerra civil siendo un chiquillo; naturalmente, el resultado de la guerra no hizo más que empeorar mi situación: después de tres años de sufrimiento, me encontré tan pelado como el primer día y, por añadidura, fugitivo de una justicia que no respondía a otro ideal que la sed de sangre de los vencedores. En las penurias del exilio juré regresar: no quería venganza, sino justicia. Como un iluso creía que mi bandera atraería a los desheredados de la fortuna. Sin embargo, en la práctica, sólo me han seguido media docena de analfabetos; con ellos me dedico a robar el dinero de otros desgraciados que seguramente lo necesitan más que yo; por esta razón he sido declarado bandolero y terrorista: cualquiera tiene derecho a tirar sobre mí como si fuera una alimaña. Ya ve, hermana, si es mal negocio nacer pobre en este puñetero país.

A las cuatro entró *lo coix*. Hace más de una hora que Hilario debería haber vuelto, dijo con aire de preocupación, si ha caído en manos de los civiles habrá que ir liando el petate. Ni hablar, dijo la monja, este hombre no está en condiciones de ser movido, salvo en camilla y para ser conducido a un hospital; su estado es grave y necesita la penicilina con urgencia: si Hilario no vuelve yo misma la iré a buscar. Usted de aquí no sale, dijo *lo coix* en tono amenazador. Calma, ordenó el bandido, no hay razón para alarmarse; aunque hayan cogido a Hilario, él no revelará nuestro paradero, y si lo revela, da lo mismo: la Guardia Civil no se aventurará por estas montañas; para sacarnos de aquí necesitan la ayuda del Ejército y eso no lo conseguirán por más que Augusto Aixelà vaya todos los meses a Madrid a chupársela al ministro, dicho sea con el debido respeto. Aquí estamos seguros, prosiguió, y en cuanto a la penicilina, tiempo habrá de tomarla: todavía no me pienso morir. ¿Usted qué opina, hermana?, preguntó el lugarteniente del bandido. No sé por qué os interesa mi opinión, si tampoco habéis de hacerme ningún caso, dijo sor Consuelo, yo no entiendo mucho de medicina ni dispongo de medios; es posible que la infección se le vaya extendiendo por el cuerpo si no actuamos de prisa; debería verle un médico y, si procede, intervenirle quirúrgicamente. ¿Y que me corten una pierna?, terció el salteador de caminos, antes prefiero morirme. No hay para tanto, apuntó *lo coix*. La monja dio la jofaina al lugarteniente. Hierve más agua, dijo, voy a cambiarle el vendaje. Al hacerlo advirtió que la pierna presentaba los primeros síntomas de la gangrena. ¿Algo va mal?, preguntó el herido. No, mintió ella, la cosa no tiene mal aspecto, pero necesitamos a toda costa la penicilina. No tengo sensibilidad de la rodilla para abajo, dijo el bandido. Eso es por efecto de los calmantes, respondió la monja, y para desviar la conversación hacia otro tema preguntó: ¿Cómo te hirieron? Gajes del oficio, explicó el bandido, fui a Bassora y a la vuelta tuve un tropiezo con la Guardia Civil; de resultas de las lluvias torrenciales, el arroyo bajaba crecido e impetuoso: no pudimos cruzarlo y tuvimos que seguir la margen hasta el puente; de este modo la Guardia Civil nos pudo dar alcance; bien empleado me estuvo por salir de mi territorio. ¿Y a qué fuiste a Bassora? Tenía que resolver unos asuntos en el banco, dijo el bandido. Ya me imagino qué tipo de asuntos serían ésos, bromeó la monja. El salteador de caminos sonrió con picardía. Se equivoca: fui a hacer una operación bancaria estrictamente legal; de hecho, es una operación que la concierne a usted. En estos últimos meses, continuó diciendo antes de que ella tuviera tiempo de manifestar su sorpresa, las cosas me habían ido bien y decidí invertir sabiamente la riqueza acumulada; al fin y al cabo, a mí el dinero de poco me sirve. Carraspeó y añadió: Un primo mío trabaja en un banco de Bassora; él me dijo cómo había de hacerse la operación y ya está hecha. A estas horas, si el banco ha cumplido, habrá recibido usted una transferencia por valor de dos millones de pesetas, destinados a financiar el asilo de ancianos; a la vista de este capital, las autoridades competentes no tendrán más remedio que aflojar la mosca. Por supuesto, continuó el bandolero, en ningún lugar consta la procedencia del dinero ni creo que haya forma de averiguarla; también yo habría preferido guardar el secreto y que usted no supiera nunca la identidad del donante; pero ya que ha sacado el asunto a colación y el destino ha dispuesto que pasáramos juntos esta noche, no he podido privarme de decírselo. Y concluyó: No hace falta que me dé las gracias. Sor Consuelo miró fijamente al bandolero para cerciorarse de que éste no mentía y vio brillar en sus ojos una sinceridad indiscutible y arrebatada. No doy crédito a mis oídos, murmuró. Pues es cierto, dijo el bandolero, y aquí está esta pierna para demostrarlo; como ve, no se puede tratar con bancos y salir indemne. Tú sabes que no puedo aceptar ese dinero, exclamó la monja. Ni tampoco rechazarlo, dijo el malhechor, es el donativo de un benefactor anónimo a la comunidad religiosa a la que usted pertenece: aceptarlo o rechazarlo no es cosa suya. Y aunque lo fuera, prosiguió, ¿por qué no habría de aceptarlo? El asilo es una buena obra y yo quiero estar vinculado a ella de algún modo; en mi vida no he tenido muchas ocasiones de hacer buenas obras y tal vez a la hora del juicio Dios se valga de ésta para salvar mi alma. ¡No te mofes de estas cosas!, atajó la monja, la salvación no se compra y menos con dinero robado. Ay, hermana, no es esto lo que predica la Iglesia cuando corteja a los ricos, replicó el malhechor. Y después de un largo silencio, añadió: No quiero mentirle: es verdad que lo del asilo me parece una buena acción, pero no es ésta la razón que me ha llevado a actuar así. En realidad, yo siento por usted una inclinación muy especial y muy honesta; por favor, no me fuerce a decir más. Sé que a sus ojos sólo soy un ser ruin y degradado, pero no piense que carezco de sentimientos. Guardó silencio el malhechor y sor Consuelo se quedó pensando en lo que acababa de oír. No sé si Dios me somete a duras pruebas o si me está tomando el pelo, cavilaba.

Empezaba a clarear, el bandolero había caído de nuevo en un sopor inquieto y tiritaba la monja: el rústico atuendo que le habían proporcionado no bastaba para protegerla del frío de la montaña al alba y del rocío que calaba las ropas. Intentó avivar las brasas consumidas removiéndolas con un palo, pero sólo consiguió levantar una nube de ceniza blanquecina y despertar al bandolero con el ruido. Tápese con mi manta, hermana, le dijo aquél, a mí ya todo me trae sin cuidado. Sor Consuelo se levantó con dificultad y se frotó las articulaciones entumecidas. Iré a ver si *lo coix* tiene alguna prenda de abrigo que me pueda prestar, dijo. Al pisar la hierba crujió la escarcha. Todavía no ha vuelto Hilario, dijo *lo coix* al verla, me temo lo peor. Tengo mucho frío, gimió la monja. El hombre sacó del bolsillo de la zamarra una botella de aguardiente. Eche un trago y entrará en calor, otra cosa no le puedo ofrecer. No entra en mis costumbres ingerir bebidas alcohólicas, pero me llevo la botella: creo que al enfermo le reanimará momentáneamente, respondió la monja entrando de nuevo en el refugio. Una vez allí descorchó la botella y bebió un sorbo a gollete, de inmediato hubo de golpearse el pecho con la mano para contrarrestar el acceso de tos. Debería unirse a mi banda, hermana, rió el salteador de caminos, tiene usted temple de guerrillera. No sé cómo puede gustaros este matarratas, replicó sor Consuelo pasándole la botella. El salteador de caminos bebió un trago corto y se estremeció. Calienta el cuerpo, quita las penas e infunde valor, dijo, no se puede pedir más. Con lo primero me conformo, dijo la monja. ¿Qué diría el obispo si la viera pimplando?, le preguntó el malhechor con sorna. No lo sé, dijo ella. Yo sí, dijo el bandido, a fin de cuentas él no ha pasado la noche al raso y no hay cosa más fácil que sermonear desde la cama. Anda, no bebas más y no trates de hacer proselitismo: soy yo la que debería echarte un sermón y no lo he hecho. Es verdad, dijo el bandido, es usted maravillosa: si cuelga los hábitos y se casa conmigo, le juro que me hago honrado. Ya estás borracho, dijo la monja quitándole la botella con el propósito de devolvérsela a *lo coix*. Pero cuando se disponía a salir, se abrió la puerta repentinamente y entró *lo coix* en el refugio; cayó la botella al suelo y se hizo añicos. Hilario ha vuelto, dijo el lugarteniente, la Guardia Civil estaba haciendo la espera a la puerta del Hospital, allí lo trincaron; le han hecho decir dónde estábamos, lo han desorejado y lo han enviado a decirnos que ahora vienen. Hubo un corto silencio que rompió sor Consuelo para preguntar: ¿Qué objeto tiene prevenirnos de un ataque? Asustar a los hombres, contestó *lo coix*, apenas han oído las nuevas, han tirado las armas y han corrido a entregarse. Sor Consuelo miró por la ventana: la explanada que se extendía frente al refugio estaba desierta. Creí que no temían a la Guardia Civil, dijo. A la Guardia Civil no, replicó *lo coix*, pero ahora traen refuerzos: guardas forestales, falangistas venidos de Bassora y una sección de infantería: el hijoputa de Augusto Aixelà se ha salido con la suya; es inútil resistir. El bandolero hizo un conato de ponerse en pie, pero no pudo. Huye tú, le dijo a *lo coix*, yo procuraré entretenerlos; si te aplastas al terreno de día y viajas de noche, en tres jornadas te plantas en Francia, pero vete de prisa. *Lo coix* dio media vuelta y se alejó renqueando por la ladera del monte. Ahora salga usted, ordenó el bandolero a la monja, camine a campo raso con los brazos levantados; no creo que disparen contra una mujer. ¿Y tú?, preguntó sor Consuelo. El bandolero se encogió de hombros y dijo: Yo ya estoy listo; tarde o temprano me tenía que llegar, pero no se apene, con mi muerte poco se pierde, y siempre quedan mi primo el tonto y mi primo el banquero para continuar la especie. No seas insensato, dijo la monja, huir no puedes, pero sí entregarte como han hecho tus secuaces; te juzgarán, irás unos años a la cárcel y después te pondrán en libertad; no puede caerte mucha pena: al fin y al cabo no has matado a nadie. Es usted la que dice insensateces, replicó él, me coserán a balazos en cuanto me vean. No, insistió sor Consuelo, haz lo que te digo, iremos juntos: desarmado y conmigo de testigo no se atreverán a matarte. El bandolero torció la boca y dijo: Buenos son ésos; primero dispararán sobre mí y luego dispararán sobre usted y dirán que en el curso de la refriega la mató una bala perdida. Acababa de hablar cuando retumbó en la montaña el eco de varias detonaciones cercanas. ¿Qué ha sido?, preguntó sor Consuelo. *Lo coix*, respondió el bandolero. ¿Lo habrán matado? Eso nunca lo sabremos, ni debe interesarle ahora, dijo el bandolero, ocúpese de su propio pellejo.

«¡Alto a la Guardia Civil!» ¿Y esto qué es?, preguntó sobrecogida. Un megáfono, dijo el bandido, ya están aquí, ¿ve lo que pasa por discutir? Hemos perdido la última oportunidad que nos quedaba; páseme la metralleta.

No pensarás resistir en este cuchitril. No; si viene la infantería, traerán morteros, dijo el bandido, voy a salir; quizá con la sorpresa consiga abrirme paso entre las líneas. Sor Consuelo dio el fusil ametrallador al bandido y le ayudó a incorporarse; el bandido se quitó la pistola del cinturón y se la entregó a la monja. Vaya a la ventana y cúbrame, le ordenó. ¡Pero si yo no sé disparar!, exclamó la Superiora. Sólo tiene que apretar el gatillo, dijo el bandido con impaciencia, haga tres disparos y échese al suelo de inmediato; y apunte alto, no vaya a darle a alguien por casualidad. Sor Consuelo corrió al ventanuco, y a la puerta el bandido a la pata coja. A escasos metros del refugio se veían hombres correr encogidos y ovillarse tras las peñas. Los pájaros habían interrumpido su festín mañanero y reinaba un silencio tenso y medroso en la montaña. Recostado contra el quicio de la puerta, el bandido empuñó el fusil ametrallador y gritó: ¡Dispare! Al mismo tiempo cargó el peso del cuerpo contra la hoja de la puerta y saltó fuera del refugio disparando ráfagas. Sor Consuelo se asomó a la ventana y también disparó; el retroceso del arma estuvo a punto de arrancársela de las manos; la asió con más fuerza e hizo otros dos disparos mientras pensaba: ¿Cómo voy a ser monja si hago todo lo que me dicen los hombres? Fuera volvió a tabletear la metralleta del bandido. La monja se echó al suelo y oyó una decarga cerrada; una nube de proyectiles pasó silbando sobre su cabeza y reventó la pared opuesta a la ventana. Cuando se restableció el silencio abrió los ojos y levantó la cabeza. A través de la espesa nube de polvo que invadía el refugio distinguió la silueta tambaleante del bandolero en el vano de la puerta. Soltó la pistola y acudió a sujetarlo, pero no pudo impedir que se desplomara. Se arrodilló a su lado y colocó la cabeza del herido sobre sus rodillas a modo de almohada. ¿Te han dado?, le preguntó, pero la respuesta era obvia, porque el bandolero yacía en un charco de sangre y su voz era casi inaudible. No ha servido de nada nuestra estratagema, siseó. Sor Consuelo buscaba un trapo con el que taponar las hemorragias. Déjelo, hermana, dijo el bandolero, y déme la mano: no quiero morir solo. No te morirás, hombre, dentro de nada traerán la penicilina, dijo ella; de todos modos, agregó, no estaría de más que hicieras un acto de contrición. El bandido movió la cabeza y respondió: No, hermana, yo no me arrepiento de nada; a lo sumo, de no haber hecho más daño cuando tuve ocasión: odio a la sociedad y odio a los hombres; moriría contento si supiera que después de mi muerte vendrán más inundaciones y terremotos, incendios y epidemias; deseo que haya guerras, exterminios y matanzas, que imperen el crimen y la desolación; los hombres no merecen paz ni misericordia, y Dios tampoco. Maldito sea el mundo y quien lo creó. Retira ahora mismo esto que acabas de decir, dijo la monja, es absurdo irse al infierno por resentimiento. El bandolero clavó los ojos en sor Consuelo, su mirada era vidriosa, murmuró: Yo no creo en el infierno, ni tampoco en el cielo; y si existen, me da igual: no quiero saber nada de un sistema que premia a los hipócritas y condena a los desesperados. El refugio se había llenado de hombres que encañonaban a la pareja con sus mosquetones. Bajen las armas, les dijo sor Consuelo, este hombre está muerto y yo soy inofensiva.

8

Sin ningún miramiento la sacaron del refugio; si vacilaba y tropezaba, a empellones y culatazos la obligaban a enderezarse y seguir caminando. Por último la colocaron delante de una pared rocosa y se retiraron unos pasos. Los primeros rayos del sol alumbraban la escena. Cuando se disponían a fusilarla una voz gritó: ¡Alto! El oficial que mandaba el pelotón ordenó bajar las armas y se encaró con el que había osado interrumpir la ejecución. Sor Consuelo reconoció en su salvador al cabo Lastre. El oficial de infantería, el jefe de Falange y el guardia civil se retiraron unos pasos a conferenciar. Desde el improvisado patíbulo sor Consuelo veía cómo el cabo la señalaba repetidas veces con el dedo e intuyó que pronunciaba el nombre de Augusto Aixelà; un ademán descriptivo del cabo hizo que el jefe de Falange exclamara en voz alta: Ah, diantre, quién lo iba a sospechar. Los tres capitostes la observaban con renovado interés e intercambiaban entre sí miradas de inteligencia. Luego el cabo Lastre se apartó del grupo, fue a donde la monja esperaba ser fusilada y le dijo: Venga conmigo, hermana. Sin que nadie se les interpusiera, la monja y el guardia civil abandonaron el escenario de la breve batalla e iniciaron el descenso de la montaña. La bruma matutina se disolvía a su paso y les costó poco llegar al claro; allí los guardas forestales custodiaban los vehículos que habían servido para el transporte de tropas. El cabo Lastre ayudó a sor Consuelo a subir a su coche, lo puso en marcha y unos minutos más tarde habían recuperado la carretera, entonces dijo el cabo: Cuénteme lo sucedido. No hay nada que contar, respondió la monja, me pidieron que atendiera a un herido y obedecí sin saber de quién se trataba; debo decirle, sin embargo, que de haberlo sabido no habría obrado de otro modo. Entiendo, dijo el cabo, ¿qué le contó el bandolero? Nada, respondió sor Consuelo. No puede ser, dijo el cabo, han pasado la noche juntos, algo tiene que haberle contado. Ya le he dicho que no me contó nada, insistió la monja, estaba malherido y con fiebre, deliraba. Entiendo, repitió el cabo, y así lo haré constar; también procuraré que su nombre no aparezca en el atestado; me limitaré a decir que en el momento de ser reducido se encontraba junto al interfecto una persona que había sido obligada a atenderlo en contra de su voluntad. La monja miró al cabo Lastre, pero éste tenía los ojos puestos en la carretera y su expresión no reflejaba lo que pudiera estar pensando; sor Consuelo, que era consciente de apestar a pólvora y aguardiente, murmuró: Gracias, cabo. El cabo emitió un gruñido; transcurrido un rato sor Consuelo le preguntó: ¿A dónde me lleva? Al Hospital, naturalmente, respondió el cabo. La monja se alarmó: No, no, por Dios, al Hospital no puedo ir, todavía no; lléveme a casa de don Augusto Aixelà, se lo suplico. El cabo frunció el entrecejo, pero no dijo nada y al llegar a la primera encrucijada tomó el desvío que conducía a casa Aixelà. Ante la cancela detuvo el coche y encendió un cigarrillo. La espero aquí, dijo, no tarde. Demasiado cansada para discutir, la monja hizo un gesto afirmativo con la cabeza, bajó del coche y entró en el jardín.

Pudenciana se había levantado al despuntar el día, había afilado un cuchillo y había decapitado dos pollos; cuando empezaba a desplumarlos oyó el estruendo de los tiros en la montaña y se persignó. Luego volvió a enfrascarse en su monótona labor hasta que la distrajeron los aullidos lastimeros de los perros.

Alguien ha muerto, pensó; este pensamiento la dejó desazonada y uno de los perros aprovechó la circunstancia para comerse las mollejas sin ser visto. Pudenciana salió al jardín. Al pronto no supo quién podía ser aquella figura harapienta y greñuda que franqueaba la cancela: pensó que se trataba de una gitana; luego, que de una indigente; por último, que de una muerta rediviva recién levantada de la sepultura. Tenía el rostro exangüe y desflorado, la boca marchita, las pupilas extraviadas y caminaba con paso inseguro, como un ciego que tanteara un terreno preñado de añagazas; llevaba la ropa cubierta de manchas herrumbrosas, descosida y rasgada hasta rozar los límites de la decencia. Ante esta aparición los perros rezongaban, remisos a cumplir su bronco cometido. Al acercarse Pudenciana, la patética figura se detuvo y abrió los labios, pero no articuló ningún sonido; luego abrió los brazos con las palmas de las manos vueltas hacia fuera y en este gesto, sin causa alguna que lo justificara, reconoció la guardesa a sor Consuelo, advirtió que los lamparones que le cubrían el vestido eran en realidad manchas de sangre coagulada y se sintió invadida de una profunda piedad por aquel ser dolorido y ofuscado sobre quien se habían abatido amarguras, terrores y violencias y a quien sólo la determinación insensata mantenía tambaleante en el último escalón de la cordura. Corriendo salvó la distancia que las separaba y al abrazarla se mezcló la sangre de los pollos que cubría el mandil de la guardesa con la del bandolero muerto. ¿Quién te ha puesto así, mi niña?, exclamó, y la monja, como si aquella voz y aquel contacto compasivo hubieran quebrado los restos de su ecuanimidad, empezó a chillar y su cuerpo a experimentar tales convulsiones que los perros, incapaces de identificar con la de un ser humano aquella conducta desaforada, se retiraban con la cabeza gacha y el rabo entre las piernas y la guardesa, no sabiendo qué medida tomar, se limitaba a estrechar cada vez con más fuerza a la infeliz contra su pecho por temor a que pudiera caer y lastimarse de veras si se desprendía del abrazo. Fuera, el cabo Lastre, sentado en el estribo de su coche, fumaba y fingía no advertir lo que ocurría ante sus ojos, como si aquel asunto de mujeres no le concerniera. Transcurrido un rato se acallaron gradualmente los chillidos de la monja y refluyó su llanto y recobró poco a poco el dominio de sus nervios. Carraspeó para aclararse la garganta y susurró al oído de la guardesa: ¿Y él? Pudenciana tardó unos instantes en responder. Se ha ido. No avisó de a dónde ni por cuánto tiempo, pero llevaba equipaje para estar ausente una buena temporada. ¿Y no ha dejado nada para mí?, ¿una carta, quizá?, preguntó sor Consuelo con un fútil atisbo de esperanza en la mirada. A mí no me dio nada, contestó Pudenciana con tacto, pero venga conmigo y mire a ver en el gabinete, por si hay algún indicio.

Con sus brazos rollizos Pudenciana sostenía la endeble arquitectura de la monja. Por una revuelta del sendero venía andando patosamente el jardinero; por la comisura de los labios le asomaba la punta de la lengua y en las manos llevaba una espuerta de caucho cargada de tierra negra. Sor Consuelo se estremeció al advertir el extraordinario parecido del imbécil con el hombre a cuya muerte acababa de asistir. El imbécil levantó la espuerta para mostrar su contenido a las dos mujeres: de los terrones brotaban níscalos y colmenillas que las lluvias persistentes habían hecho germinar anticipadamente. Se reía a mandíbula batiente, como si aquello fuera lo más divertido del mundo. Las dos mujeres pasaron de largo sin detenerse y el imbécil se quedó contrito.

Al entrar en la casa dijo Pudenciana: Estará usted desfallecida de hambre; siéntese y descanse, que yo le prepararé unas farinetas de sangre y cebolla para almorzar. No, por favor, suplicó sor Consuelo con viveza, no quiero comer nada. Tiene que alimentarse si no quiere caer enferma, insistió la guardesa, espéreme en el gabinete y algo le traeré. Se fue y sor Consuelo entró en el gabinete; buscaba con frenesí alguna misiva destinada a ella y de cuyo contenido pudiera extraer alguna explicación y alguna promesa, pero los muebles estaban limpios y los cajones, cerrados con llave. Entró Pudenciana en el gabinete con un tazón de loza lleno de leche. Aún está tibia, mire, no hace ni diez minutos estaba en las tetas de la vaca, dijo, bébasela: pasa sin gana y no hay mejor reconstituyente. Desprovista de la voluntad necesaria para rechazar el ofrecimiento, sor Consuelo se bebió el contenido del tazón y dijo: Gracias, Pudenciana, ahora desearía quedarme un rato sola. Al salir la guardesa se sentó en la misma silla que había ocupado la primera vez que Augusto Aixelà la recibió en su casa. ¿Cuánto tiempo ha transcurrido desde entonces?, se preguntó; le parecía que una vida entera. Entornó los párpados y sintió que todo daba vueltas a su alrededor, volvió a abrirlos y se levantó haciendo un esfuerzo por mantener el equilibrio. Con recelo se acercó al sofá en que la víspera se había consumado su rapto: era un sofá de cuero, desgastado y confortable; sobre la tapicería se advertía una mancha pardusca. El certificado de mi corrupción, pensó. Se arrodilló en el suelo y lamió la mancha, pero sólo notó un sabor áspero a polvo y curtido. Se incorporó rápidamente, cruzó el gabinete a la carrera, salió a la galería exterior y vomitó la leche que acababa de ingerir. ¡Purrrríííííísima!, exclamó el papagayo al ver la vomitona. La monja se enjugó los labios y el mentón con la palma de la mano y siguió caminando. Las lluvias torrenciales habían arrastrado la tierra del huerto y destruido las cosechas; el agua oscura de la alberca desbordaba los balates. Sor Consuelo se detuvo con los pies en la arista del balate y clavó los ojos en las entrañas del agua. Oscilaba su cuerpo cuando oyó una voz a sus espaldas que decía: Ponga atención, hermana, aunque no lo parezca, la alberca es traidora. El que acababa de hablar se colocó a su lado tranquilamente: era Pepet, el administrador de fincas. El cabo Lastre me ha dicho que la encontraría en la casa, continuó diciendo, y yo le he dicho que se fuera, que yo mismo la devolvería al Hospital sana y salva, hizo un guiñó y agregó: No me ponga en un compromiso. Sor Consuelo retrocedió dos pasos y arrancó los ojos a la fascinación de lo insondable.

No hay cuidado, dijo con voz serena. Ya ve usted qué desolación, dijo el administrador paseando una mirada experta por el huerto; chascó la lengua y añadió: Unos años sequía y otros riada, siempre la misma historia, alabado sea Dios. Cogió suavemente a la monja del brazo, le hizo dar media vuelta y ambos se encaminaron hacia la casa a paso cansino. El cielo estaba despejado y los pájaros revoloteaban entre las hortalizas desventradas y se posaban en el aspaviento de los espantajos.

Le interesará saber, empezó diciendo el administrador de fincas en tono pausado, que la noche pasada, a altas horas, vino a mi casa don Augusto Aixelà. Me hizo levantar de la cama y me contó que ayer tarde había recibido la visita del cabo Lastre, el cual le informó de que el Gobierno había accedido finalmente a enviar refuerzos a la zona con objeto de limpiar de maleantes las montañas; el cabo Lastre le dijo asimismo que tenía motivos fundados para pensar que el jefe de la banda había resultado herido en un encuentro reciente con la Guardia Civil y que aquella misma noche se preparaba una operación conjunta en la que participarían, junto con la Benemérita, tropas regulares y fuerzas auxiliares venidas expresamente de Bassora. Al parecer, el cabo Lastre fue luego al Hospital con la intención de informarle a usted de lo mismo y prevenirle de que cerraran el edificio a cal y canto y de que no abrieran a nadie; asimismo dio orden de que nadie abandonara el edificio después de oscurecido por ningún concepto, pero usted estaba ausente o por alguna otra razón no pudo recibirle, por lo cual la advertencia, como bien se ha visto, no surtió efecto. Por su parte, don Augusto me dijo que, en vista del cariz que tomaban los acontecimientos y dado que los bandidos podían contar con simpatías en el pueblo, había decidido, por razones de seguridad, partir de inmediato sin decir a nadie a dónde se dirigía ni por cuánto tiempo, y añadió que su ausencia con toda certeza se prolongaría más de lo habitual y dispuso que este año yo me ocupara de todo lo concerniente a la vendimia. Esta decisión, inusitada en él y a todas luces injustificada por las circunstancias que alegaba en su apoyo, me extrañó mucho. Conozco a don Augusto desde que vino al mundo y sabía que algún otro motivo se escondía detrás de aquella fuga, de modo que le interrogué y le saqué la respuesta que buscaba. No tuve que tirarle de la lengua para que me la diera; a los hombres les cuesta poco contar estas cosas, está en su modo de ser. Por supuesto, añadió apresuradamente, no debe usted abrigar ninguna desconfianza: su secreto está seguro conmigo; lo que haya habido entre ustedes dos me trae sin cuidado; es más, después de esta conversación, por mucho que coincidamos, no volveré a hablarle del asunto y le ruego que usted tampoco lo haga. En realidad, si lo he sacado a colación, ha sido porque creo mi deber informarle de que Augusto Aixelà se ha ido y no volverá mientras usted siga aquí. Se lo digo con crudeza porque no suelo andarme con rodeos y porque creo que preferirá saber la verdad a vivir alimentando vanas ilusiones. Por lo demás, prosiguió, supongo que mis palabras no la pillan por sorpresa: ni siquiera su inexperiencia de las cosas del mundo ni la confusión en que sin duda la habrán sumido los sucesos recientes le habrán impedido ver hasta qué punto su relación estaba abocada al fracaso aun cuando hubieran sido verdaderos los juramentos de amor que él haya podido hacerle. Hizo una pausa y agregó a modo de colofón: Augusto es un buen chico, tiene un corazón de oro, pero no puede evitar lo que no puede evitar. No se lo tome a mal: no es usted la primera ni será la última. Olvídelo.

Habían rodeado la casa y se adentraban en el sendero que llevaba a la salida. Sor Consuelo se detuvo y se volvió a mirar a la casa, suspiró y encontró fuerzas para decir al reanudar la marcha: Es humillante reconocerlo, pero me temo que fui más inocente de lo que usted supone: yo creía en la sinceridad de sus palabras y sus gestos; una tarde me llevó a la alcoba en que murió su madre y allí pude leer en sus ojos una emoción genuina. Don Pepet, agregó con vehemencia, cuando se trata de estas cosas los hombres no mienten. El viejo capataz se encogió de hombros. Algunos sí, dijo, la madre de Augusto todavía vive, en Madrid. Sonrió la monja tristemente. ¡Qué tonta he sido!, dijo. No se haga mala sangre, le recomendó el viejo capataz, después de todo, era muy difícil que no sucediera lo que sucedió; no ha habido nunca mujer capaz de resistirse a don Augusto, él siempre sabe decirles lo que ellas quieren oír; no lo hace por malicia, le sale espontáneamente, es un instinto natural, un don. Usted es una mujer atractiva, inteligente, audaz y monja; Augusto es cazador y coleccionista, no podía dejar pasar una pieza tan rara; él habría hecho cualquier cosa por conseguirla, estaba usted perdida aunque hubiera opuesto más resistencia de la que opuso, es decir, bien poca. Así es, admitió ella, pero ¿tan valiosa soy como para comprometer al Ministerio de la Gobernación en mi conquista? Oh, no, replicó el administrador de fincas, don Augusto es un caballero: nunca mezclaría un asunto privado con la política ni haría que el erario público sufragara sus líos de faldas; seguramente usted nunca creyó que él hubiera gestionado en Madrid la financiación de su famoso asilo. ¿No lo hizo?, preguntó sor Consuelo. No, ni se le pasó por la cabeza, respondió el administrador.

Donde antes había estado el coche de la Guardia Civil estaba ahora el camión verde del viejo capataz. Ambos subieron e hicieron en silencio el viaje al Hospital; una vez allí y cesado el traqueteo del decrépito motor, dijo el administrador de fincas: Perdone que le haya hablado de un modo tan brutal, a lo que la monja respondió: Le agradezco que lo haya hecho. Iba a decir algo más pero se le cortó la voz. El viejo capataz le palmeó cariñosamente la rodilla. Está agotada, le dijo, duerma, coma y dentro de unos días lo verá todo de otro color; es probable que lo que hoy le parece horrible, le acabe dando risa. Sor Consuelo asintió con la cabeza y bajó del camión. En la caja maulló el gato. Alertada por la hermana portera, toda la comunidad religiosa aguardaba en el vestíbulo del Hospital a la Superiora para dispensarle un recibimiento triunfal y jubiloso. En cuanto nos llegó noticia de que la habían secuestrado los bandidos, nos congregamos todas en la capilla y estuvimos rezando y cantando para que no le pasara nada malo, le dijeron. Hasta los enfermos del Hospital habían sido arrancados de sus camas y llevados a la capilla con objeto de sumar sus oraciones a las de las monjas. Tanta plegaria no podía por menos de dar fruto, pensaron, y así ha sido, alabado sea por siempre el Santísimo Sacramento del Altar. Este cálido recibimiento enterneció a sor Consuelo, a la que desde hacía un rato venía inquietando reaparecer en el cenobio con aquella pinta de zorrón, y abrazó a sus compañeras y derramó abundantes lágrimas. Por la carretera se alejaba dando estampidos y envuelto en nubes de polvo el camioncito verde del administrador. Entre las monjas las efusiones continuaban hasta que la ecónoma logró separar a sor Consuelo del bullicioso coro y llevarla a un rincón. Sé que viene rendida, reverenda madre, pero es preciso que le notifique algo sin demora. Dígame, madre Millás. La ecónoma, que hasta aquel momento se había mantenido imperturbable, se puso a llorar inopinadamente; a través del grueso vidrio de las gafas sus ojos anegados parecían dos peceras. Un milagro, sollozó, un verdadero milagro; esta misma mañana ha venido en persona el director del banco y me ha dicho que un benefactor anónimo había donado dos millones de pesetas a la comunidad con destino al asilo de ancianos. Huelga decir que, aunque el director del banco insistió mucho en que el donante quería mantener su identidad en el secreto más absoluto, muy lerda tendría que ser yo para ignorar quién haya sido esta persona altruista y magnánima; del mismo modo que no ignoro quién ha sabido tocar el corazón de esta persona con su labor callada, su oración y su ejemplo. La ecónoma sacó un pañuelo de la manga y se sonó con estrépito, luego dijo: A propósito de esto, quiero confesarle, reverenda madre, que en más de una ocasión dudé de lo acertado de sus ideas y de su conducta; no niego que a menudo abrigué malos pensamientos acerca de usted, en sus métodos expeditivos veía heterodoxia y liviandad y en sus gestiones intuía un secreto afán de atraer sobre sí los halagos del mundo. Ahora comprendo lo acertado de su proceder y cuán errada estaba yo; he sido ruin y desleal; le ruego humildemente que me perdone y me castigue. Sor Consuelo abrazó a la ecónoma y la besó en las mejillas apergaminadas. Olvide estas minucias, madre Millás, exclamó, como usted dice, se ha producido un milagro y ahora tenemos mucho trabajo por delante.

9

La reforma se llevó a término con prontitud y a la inauguración del nuevo asilo de ancianos acudieron destacadas personalidades de la vida política y religiosa, pero no sor Consuelo, pues poco antes de concluir aquellas obras que ella había dirigido personalmente en la práctica y que en definitiva habían sido financiadas gracias a su aventurada intervención, fue relevada de su cargo por la superioridad y destinada a un centro asistencial situado en el otro confín del país. Lejos de sentirse preterida, sor Consuelo vio en esta orden un virtuoso deseo de sustraerla a la tentación del orgullo y la acató con gratitud. El lugar al que había sido destinada era una institución pobre y caduca; con su energía y diligencia en poco tiempo la convirtió en algo moderno y valioso. Sucesivos traslados resultaron en otras tantas reformas, la fama de sor Consuelo y sus esfuerzos fundacionales se extendió por todas partes, y así transcurrieron treinta años, hasta que un día, mientras discutía con arquitectos y constructores detalles técnicos de un edificio cuya erección ella había promovido, sufrió un desvanecimiento. Si esto mismo me llega a pasar hace diez minutos, cuando estábamos subidos al andamio, no lo cuento, bromeó al recobrar el sentido, una vez más Dios me ha preservado para que le siga sirviendo. Pero el especialista que la examinó fue de distinta opinión. Dijo: Por desgracia los primeros síntomas se han manifestado demasiado tarde, ya no hay nada que hacer. ¿Cuánto tiempo me queda?, preguntó. El especialista se encogió de hombros. La medicina no es una ciencia exacta, dijo. Tengo que saberlo, doctor, insistió la monja, hay asuntos pendientes que requieren mi presencia. Ya ha oído lo que le acaba de decir el señor doctor, dijo la Superiora Provincial, nadie es imprescindible. Nada sabemos del día y la hora en que ha de sorprendernos la muerte, salvo que hemos de estar siempre preparadas para recibirla con el alma limpia y el corazón alegre, agregó con seriedad. La enferma inclinó la cabeza en señal de aquiescencia, pero dijo: Por caridad, déjeme morir al pie del cañón. Eso es imposible, respondió la Superiora Provincial en forma tajante. Sor Consuelo no replicó: hacía varios años que el Gobierno español miraba con desconfianza la magna obra asistencial que la Iglesia había llevado a cabo durante siglos; celoso de sus prerrogativas, juzgaba intrusismo aquella labor altruista y le ponía trabas de continuo; personas como sor Consuelo, otrora veneradas, constituían en la actualidad un escollo en las relaciones entre la Iglesia y el Estado. Tal vez por esta razón la Superiora Provincial acogía de buen grado la oportunidad de deshacerse de ella, pensó. Soy un estorbo para la orden, se dijo con desmayo. Y en voz alta: Hágase la voluntad de Dios. El tono de la Superiora Provincial no se ablandó al agregar: He dispuesto que la trasladen a un centro asistencial donde estará bien atendida; descanse, prepárese a bien morir y disfrute sabiamente de la vida que Dios Todopoderoso se digne concederle. Al día siguiente sor Consuelo partió para su último destino. No se había molestado en averiguar a qué lugar la habían destinado, pero al aproximarse lo reconoció de inmediato y comprendió hasta qué punto la aparente dureza de la Superiora Provincial encubría compasión y dulzura. Siempre llevé este lugar secretamente en mi corazón, comentó en voz alta. La hermana que conducía el automóvil sonrió. Es natural, dijo, siendo el primer asilo que usted fundó; sin duda por esto la buena madre dispuso que la trajeran aquí para su recuperación. ¿Y tú cómo sabes eso?, preguntó. Lo de la fundación nos lo contaron en el noviciado, respondió la hermana sin apartar los ojos de la señalización de la autopista, allí era usted un personaje popular entre las novicias, si no le molesta que se lo diga; lo de enviarla aquí por esta razón no me lo ha dicho nadie, pero lo he deducido yo misma. ¡Qué listas sois las monjitas hoy en día!, exclamó sor Consuelo, en mi época éramos todas tontas de baba. Se burla usted de mí, reverenda madre, rió la hermana, pero sor Consuelo ya no le hacía caso.

Hubieron de atravesar Bassora; el tráfico era tan denso en la ciudad que el trayecto duró mucho rato y fatigó a la enferma, cuyos dolores se agravaron. ¿Quiere que paremos, reverenda madre? No, hija, ya debe de faltar poco y prefiero llegar cuanto antes. Se perdieron en un barrio de edificios nuevos, altos y muy parecidos entre sí; las plantas bajas de los edificios estaban ocupadas por talleres o almacenes vacíos o cerrados y por las calles del barrio no deambulaba ningún peatón. Al final encontraron a un hombre que llevaba una maleta y le preguntaron cómo llegar a San Ubaldo de Bassora. Esto es San Ubaldo de Bassora, les respondió el hombre de la maleta, antes era un pueblo, pero ahora es una barriada de Bassora, ¿a dónde quieren ir? Le dijeron que a la residencia de ancianos de San Ubaldo y el hombre, que la conocía aun cuando dijo no ser de aquel lugar, les dio las indicaciones necesarias para encontrarla. ¡Cómo ha cambiado todo!, exclamó sor Consuelo, antes esto eran campos, los caminos estaban sin asfaltar y apenas si circulaba un coche de cuando en cuando. Mira, añadió en un tono casi infantil, la iglesia del pueblo sigue estando donde estaba, pero en cambio la plaza, qué distinta está; ah, ya casi hemos llegado, al doblar esa curva veremos las torres del asilo. No se equivocaba, pero el reencuentro le produjo más desencanto que alegría. Reformado a mediados de los años cincuenta con materiales de ínfima calidad y gestionado luego con ineptitud y negligencia, el asilo, al igual que su contemporáneo, el hospital de Bassora, cuya construcción había provocado la remodelación de aquél, se desmoronaba sin remedio. Hacía ya un tiempo que la comunidad religiosa, incapaz de hacerse cargo de semejante ruina, lo había cedido a la Generalitat de Cataluña;

en la pared del vestíbulo, donde años atrás la efigie de la Dolorosa había sido testigo mudo del desenfreno de la Superiora, colgaba ahora un retrato de Jordi Pujol.

La directora del centro, informada de su llegada, acudió a recibirla personalmente. Era una mujer de mediana edad, seca de trato, pero cortés y eficiente; se disculpó del estado precario de las instalaciones aduciendo que una serie de huelgas de personal sanitario había sumido el centro en la hecatombe. Por fortuna, la situación va mejorando, agregó acto seguido, y confío en que no tenga motivo alguno de queja. Mientras hablaba había acompañado a sor Consuelo a su habitación; allí le informó de los horarios y usos de la residencia. El doctor Suñé la visitará hoy mismo, le dijo, es nuestro médico titular y está al corriente de su caso, si necesita algo no dude en decírmelo. Sor Consuelo dejó que la hermana que la había llevado hasta allí deshiciera la maleta y dispusiera sus enseres en el armario de la habitación. Estoy segura de que pronto estará bien de nuevo, reverenda madre, le dijo la hermana al despedirse, todas rezamos porque así sea. Al quedarse sola miró por la ventana: ya no existía la alameda, en cuyo suelo se levantaban varios bloques de pisos, ni el arroyo, que había sido canalizado y desviado para evitar que siguiera ocasionando inundaciones en época de lluvias; a lo lejos, sin embargo, distiguió las montañas y recordó vivamente el día en que estuvieron a punto de fusilarla en uno de aquellos riscos. Los tiempos cambian, las ilusiones se desvanecen, las personas mueren, sólo las montañas permanecen, pensó.

Aquella tarde recibió la visita del doctor Suñé. ¿Qué tal?, ¿cómo se encuentra hoy nuestra enfermita?, le dijo. Era un hombre joven, orondo y jovial. Doctor, dígame cuánto me queda de vida, le suplicó la enferma, y viendo que el médico titubeaba, añadió con brusquedad: Y no me diga que la medicina no es una ciencia exacta. ¿Usted cree que lo es?, dijo el médico. Sólo soy una monja ignorante, repuso sor Consuelo. El doctor Suñé abrió el maletín que había dejado sobre la mesa. ¿Sabe lo que es un esfigmógrafo?, preguntó. Sí, claro, un aparato para medir la tensión arterial. ¿Lo ve? No es usted tan ignorante como finge ser, arremánguese y explíqueme dónde ha aprendido tantas cosas. He trabajado en hospitales toda mi vida, dijo la monja. Mientras conversaban, el doctor Suñé iba leyendo los datos que le suministraba el esfigmógrafo e introduciéndolos en una gráfica. Me han dicho que fue usted monja, ¿es cierto? Le han informado mal, respondió secamente sor Consuelo, todavía soy monja. Luego sonrió y agregó en un tono más pausado: No le hablo así para indisponerme con usted, doctor, sólo pretendo que no me tome por más simple de lo que soy. Ya me advirtieron de que venía en pie de guerra, dijo el médico sin perder el buen humor, hágales quedar mal: deponga su actitud hostil y seamos amigos, ¿quiere? Luego añadió: Hasta ahora se ha estado ocupando de los demás, deje que a partir de ahora los demás nos ocupemos de usted. Se levantaba para irse, pero sor Consuelo le retuvo sujetándolo por la manga de la bata. Doctor, escúcheme, le dijo, no crea que me importa morirme ahora: he vivido mucho y me ha sido concedido el privilegio de hacer muchas cosas; por supuesto, a mí me parece poco: siento que la vida se me ha ido en un soplo y creo que todavía me queda mucho por hacer, pero eso es sólo egoísmo y vanidad. Aunque profeso creer en la otra vida, desearía prolongar ésta indefinidamente; querría vivir para siempre, como el más obtuso de los ateos; pero sé de sobra que unos y otros, ateos o creyentes, hemos de morir; yo, al menos, muero reconfortada con la esperanza cierta del más allá, y, después de todo, ¿qué me queda ya en este mundo sino la decadencia del cuerpo y del espíritu? El doctor Suñé la escuchaba de pie, en silencio y con el maletín en la mano. ¿Cuánto tiempo, doctor?, insistió sor Consuelo. Un mes a lo sumo, dijo el médico, quizá menos; no sé si hago bien en decírselo.

En las semanas que siguieron a este encuentro las predicciones del doctor Suñé parecían destinadas a cumplirse inexorablemente. El estado general de sor Consuelo decaía a ojos vistas. Era, sin embargo, una enferma modelo: nunca se quejaba y tenía para todo el mundo una frase amable; con gran sorpresa del doctor Suñé no opuso ninguna resistencia a tomar puntualmente la numerosa medicación que le había sido recetada. Dormía poco y aun a fuerza de calmantes que durante las horas de vigilia la dejaban abotargada y confusa. Aunque estaba del todo inapetente, hacía grandes esfuerzos por comer. La vida es un bien que Dios nos ha prestado y hemos de hacer cuanto podamos por conservarlo, decía. Naturalmente, ninguna de estas medidas frenaba el feroz avance de la enfermedad. Alabado sea Dios, murmuraba cada día al advertir el rápido desmejoramiento de sus facultades. Ya no podía leer ni siquiera con gafas y para dar los paseos diarios que el médico le había prescrito debía hacerse acompañar de una enfermera. Este continuo decaer podía a veces más que su entereza. Estoy convencida de que antes las cosas no eran así, doctor, le decía a éste cuando sus visitas coincidían con los momentos de lucidez de la enferma, antes las personas vivían y se morían sin pasar por estos terribles períodos de transición; son los progresos de la medicina los que han traído al mundo este horror. Tal vez la medicina se haya limitado a restablecer el orden natural de los acontecimientos, respondía el doctor Suñé, si el cuerpo y el cerebro tardan años en formarse, es lógico que también tarden un tiempo en desintegrarse: como los primeros años de un niño son los últimos de un viejo: es cruel, pero natural; la medicina no ha inventado la naturaleza humana: la encontró hecha y sólo trata de entenderla y adaptarse a sus caprichos; es a Dios a quien habría que pedir cuentas, hermana, no a los médicos. La enferma no daba su brazo a torcer. Diga más bien que son los médicos los que han pervertido la obra divina, replicaba señalando el gotero, me niego a aceptar que éste es el curso natural de la vida humana. Nada es natural en la vida humana, sentenciaba el médico; hay que rendirse a la evidencia, pero eso no significa que debamos tirar la toalla. Ay, doctor, no me haga pasear, me resulta agotador y ¿de qué sirve? Vamos, vamos, hermana, no abandone aún el mundo de los vivos: siga luchando, le insistía el doctor Suñé, salga, vea la tele, escuche la radio, relaciónese con los demás residentes, ¿no le gusta jugar a las cartas? Jamás he jugado a nada, doctor, ni siquiera sé distinguir los palos de la baraja, le respondía la monja, y tampoco estoy acostumbrada a la vida social: creo que nunca he hablado con nadie de algo que no fuera un asunto concreto. No obstante, acababa cediendo a los argumentos del médico. Todo lo que me dice es insensato, doctor, pero yo ya no tengo tiempo para ganar discusiones: hágase como usted quiere, le decía.

Un día, cuando estaba por cumplirse el plazo anunciado por el doctor Suñé, sor Consuelo, viendo próximo el final, le dijo: Doctor, tenía usted razón, esto se acaba; ha sido usted un buen médico y un buen amigo y confío en haber sido yo una buena enferma; ahora, sin embargo, le ruego que olvide por un momento su profesión y mi estado, porque voy a pedirle un gran favor. El doctor Suñé la miró fijamente. No se alarme, prosiguió la monja, no será nada contrario a sus principios ni a los míos; en realidad, añadió, se trata de una cosa muy simple, casi una chiquillada. Verá, cerca de aquí hay una antigua finca que, según he sabido, aún se llama casa Aixelà, aunque son otros sus dueños, ¿sabe usted a qué finca me refiero? El médico contestó afirmativamente; conocía bien la finca, dijo, por haberla visitado en diversas ocasiones. Sor Consuelo titubeaba antes de formular la pregunta siguiente; al final hizo acopio de valor y dijo: Doctor, ¿cree usted que habría algún medio de que yo también pudiera visitarla? El doctor Suñé no disimuló su extrañeza ante aquel ruego extravagante. Lo que me pide es del todo imposible, hermana, usted sabe mejor que yo en qué condiciones físicas se encuentra. Sor Consuelo suspiró y guardó silencio; el médico metió en el bolsillo de su bata la pluma con que había estado anotando sus observaciones en un bloc. ¿Tan importante es para usted esta visita?, preguntó. Sor Consuelo se limitó a cerrar los párpados; una lágrima resbaló por la cera blanca de sus mejillas lacias. Está bien, si mañana no llueve, yo mismo la acompañaré a casa Aixelà, dijo el doctor Suñé, pero no se lo cuente a nadie, no quiero sentar un precedente. Aquella noche sor Consuelo pidió a Dios que no lloviera y que le concediera fuerzas hasta que el buen médico hubiera cumplido su promesa.

El día amaneció soleado. A media mañana el doctor Suñé entró en la habitación de sor Consuelo; en vez de la bata blanca habitual llevaba ropa deportiva y una elegante cazadora de ante beige. Del maletín sacó un frasquito y una jeringa. Voy a quitarle estos tubos y a ponerle una inyección, dijo, notará los efectos de inmediato, pero no se haga ilusiones: sólo le durarán un par de horas. Tal como había predicho el médico, al cruzar el vestíbulo de la residencia sor Consuelo sintió una extraña euforia y le vinieron ganas de saltar y bailar, pero las piernas apenas si le permitían caminar lentamente apoyándose en el brazo de su acompañante. En una sala adyacente, separada del vestíbulo por una puerta vidriera, varios ancianos contemplaban boquiabiertos un programa de entrevistas en un televisor mudo; de la cocina subía un vaho cálido impregnado de olor a potaje que le produjo arcadas. Tengo el coche aquí mismo, dijo el médico al advertir su desfallecimiento. Una vez en el coche le ajustó el cinturón de seguridad. Todavía está a tiempo de arrepentirse, le dijo. Sor Consuelo movió la cabeza negativamente y el doctor Suñé puso el coche en marcha.

El tránsito era escaso y cubrieron el trayecto en pocos minutos. Construcciones recientes ocultaban la finca y sor Consuelo se sorprendió al encontrarse de improviso frente a la antigua cancela. El muro y la verja habían sido conservados y probablemente restaurados en los últimos tiempos, pero el jardín, visto desde fuera, ofrecía un aspecto desolado. La finca, explicó el doctor Suñé, pertenece a unos particulares que sólo la ocupan en verano y por pocos días; el resto del tiempo unos masoveros se encargan de mantenerla a salvo de ladrones y vándalos; en un momento dado se habló de convertirla en un hotel, luego, en un parque acuático y, por último, en un club de golf, pero, como ve, todo quedó en palabras. Bajó del coche y dejando en él a la monja se dirigió a la cancela y pulsó varias veces el timbre de un interfono. Al recibir respuesta mantuvo a través de la máquina un breve diálogo. Desde el interior del coche, todavía sujeta por el cinturón de seguridad, sor Consuelo no oyó lo que decía. La cancela se abrió automáticamente. Ayer tarde llamé para anunciar nuestra visita, le explicó el médico mientas maniobraba para cruzar la entrada, el masovero nos está esperando. Sor Consuelo miraba a derecha e izquierda, estaba confusa: dudaba de si eran las cosas las que habían cambiado o si era su memoria la que en el curso de los años había ido dibujando un paisaje de engaño. Todo parece más pequeño que en el recuerdo, se dijo, y más feo. El seto de brezo que antiguamente crecía junto al muro había desaparecido y en su lugar crecían ahora zarzas y ortigas; también el sendero que serpenteaba entre los árboles había sido reemplazado por una avenida asfaltada, ancha y recta, que conducía a la casa directamente y sin misterio. Los árboles del jardín habían muerto o habían sido talados y en el desmonte había una pista de tenis rodeada de altas mallas, y parterres agostados que evidenciaban el abandono a que sus dueños tenían condenada la finca. El coche se detuvo en la explanada que se abría frente a la casa y allí, sin darles tiempo a bajar, acudió a su encuentro el masovero. Era un senegalés de aire circunspecto, que hablaba catalán con marcado acento foráneo, pero con corrección y soltura. Saludó cortésmente al doctor y le dijo que había estado telefoneando sin éxito a Barcelona para localizar a los dueños de la casa, ya que sin su permiso él no estaba autorizado a facilitarles la entrada en ella. El anterior propietario de la finca, explicó, coleccionaba obras de arte y todavía quedaban algunas piezas valiosas en el interior del edificio, lo que hacía recaer sobre sus hombros una gran responsabilidad, porque el actual propietario le había dado órdenes muy estrictas en este sentido; por añadidura, la vulnerable posición de los trabajadores de color le obligaba a extremar las precauciones. Ya sé que tanto usted, doctor, como la señora que le acompaña son de una honradez sin tacha, agregó, pero cualquiera podría dañar en forma accidental alguna de las piezas y entonces, hosti, no quiero ni pensar lo que dirían. El doctor se disponía a discutir con el escrupuloso masovero, pero sor Consuelo se lo impidió. No tiene importancia, doctor, le susurró al oído, pregúntele si todavía existe el huerto que había detrás de la casa. Ya lo creo, afirmó el masovero cuando el médico le hubo transmitido la pregunta, y bien hermoso que lo tengo; si quieren verlo, por mí no hay inconveniente, siempre que procuren no poner el pie donde está sembrado.

Rodearon la casa pausadamente hasta llegar a la galería. En la colina, donde antes crecía la alfalfa y se extendían los viñedos, se alineaban ahora varias docenas de chalets blancos de dos plantas, con garaje y jardín; en cada jardín, separado del vecino por una tapia enjalbegada, se contoneaba un arbolillo cimbreño y despelotado. Un enorme cartel anunciaba la inauguración de aquel complejo residencial, cuyos chalets, dotados del máximo confort, todavía estaban a la venta. Sor Consuelo suspiró. Está cansada, dijo el doctor Suñé, vamos al coche. No, no, lleguemos hasta el huerto y después nos volvemos, dijo la monja con firmeza. Tengo el deber de velar por su salud, empezó a decir el médico, pero ella le atajó: Yo le absuelvo de tal deber. Usted no sabe lo que se pesca, masculló el médico, la llevaré a donde quiere ir, pero si se cae y se rompe un hueso, yo le romperé otro, por tozuda.

El huerto no había cambiado y el aire olía a tierra mojada y a verduras recién arrancadas. Zigzagueaba una libélula y a lo lejos se oía croar una rana. El doctor Suñé y la enferma se detuvieron al borde de la alberca. Sor Consuelo se quedó mirando el agua y murmuró: Aquí quería venir, ahora ya podemos irnos. No quisiera ser indiscreto, pero ¿no va a contarme nada? Sor Consuelo sonrió con tristeza. Lo siento, pero no le puedo revelar la incógnita; sólo le diré que guarda relación con algo que me sucedió hace mucho tiempo, cuando yo era joven; en aquella época frecuenté esta casa y traté a su antiguo dueño, aquí pasé momentos que ahora juzgo felices y, ya que la suerte me ha traído nuevamente a San Ubaldo, no quería irme de este mundo sin visitar por última vez este lugar. Se quedó un rato pensativa, mirando el agua, luego murmuró: ¿Me creerá si le digo que una vez estuve considerando seriamente la posibilidad de tirarme de cabeza a esta alberca? El médico guardó silencio y luego dijo: No, por lo poco que la conozco, no me cuesta creerlo; ¿puedo preguntarle por qué? ¿Por qué me quería tirar o por qué no lo hice?, preguntó sor Consuelo. ¿A cuál de las dos preguntas estaría dispuesta a responder?, dijo él. La monja sonrió: A ninguna. El médico también sonrió; tal vez por efecto de la luz tamizada del huerto parecía haber desaparecido del rostro de la enferma la aspereza que en las últimas semanas habían impreso allí el dolor y la devastación, sus rasgos eran más suaves y serenos. Consultó su reloj. Ahora sí que se nos ha hecho tarde, dijo.

Durante el camino de vuelta a la residencia la monja preguntó al doctor Suñé de qué conocía él la finca, a lo que éste respondió que unos años atrás, cuando acababa de incorporarse como médico al asilo después de haber ganado una oposición al cargo, la había visitado con objeto de atender al antiguo dueño de aquélla. Era un vejestorio llamado Augusto Aixelà de Collbató, dijo, quizá la misma persona que usted trató en su día. Sor Consuelo respondió que se trataba, en efecto, de la misma persona y rogó al médico que prosiguiera su relato, cosa que hizo el doctor Suñé diciendo: En la época en que yo lo traté, Augusto Aixelà vivía solo y en condiciones verdaderamente penosas, pues su salud era mala y se advertían en él síntomas claros de demencia senil; su situación económica no era mejor. Al parecer, había dispuesto en tiempos de una considerable fortuna, que había dilapidado de la manera más tonta. Llevado por su carácter débil y libertino, se había rodeado de falsos amigos, personajes indeseables que, abusando de su confianza, le habían inducido a meterse en negocios ruinosos. Los vicios y las estafas se fueron comiendo poco a poco su heredad. Al final no le quedó más que la casa, con el jardín y el huerto, aunque gravada por varias hipotecas. Resistió unos cuantos años malbaratando su espléndida colección de arte, los muebles y objetos de valor que había en la casa, inclusive una extensa galería de retratos familiares, hasta que, acosado por la miseria, hubo de claudicar: a regañadientes vendió lo que le quedaba por el monto de la deuda y, sin un céntimo, entró en la residencia de ancianos, donde sobrevivió un par de años, durante los cuales nadie fue a visitarle: sólo tenía parientes lejanos, con quienes se había indispuesto a lo largo de su vida y a quienes ya no podía atraer con la perspectiva de una herencia suculenta. Nunca hicimos buenas migas, añadió, Augusto Aixelà era un viejo rijoso, autoritario y fanfarrón; trataba mal a las enfermeras simplemente porque no se dejaban toquetear; siempre estaba enviando cartas a *La Vanguardia,* en las que se quejaba injustamente de las condiciones higiénicas del centro, de la comida y del personal; y a quien quería escucharle le decía que se merecía un trato especial, porque si bien ahora no podía costear ni siquiera su manutención y había de vivir de la caridad pública, en su día había financiado de su propio bolsillo las obras de remodelación del antiguo Hospital. El doctor Suñé hizo una pausa y agregó: También decía que había hecho aquel dispendio por complacer a una mujer a la que había amado mucho, pero que no supo corresponder a su amor. Al oír esto sor Consuelo, que había entornado los párpados y parecía haberse adormilado arrullada por la voz del médico, movió la cabeza de lado a lado, sonrió y dijo: Siempre fue un embustero.

10

Al día siguiente de la visita a casa Aixelà el doctor Suñé encontró a la enferma en un estado de extrema postración. Me parece que ayer quemamos el último cartucho, hermana, le dijo, me arrepiento de haberme dejado convencer. La monja le sonrió. No sabe cuánto le agradezco lo que hizo por mí, doctor. Confesó, comulgó y recibió los santos óleos; luego entró en coma. Avisada la familia de la enferma por la dirección del centro, dos individuos de avanzada edad, que dijeron ser hermanos de sor Consuelo, llegaron aquella misma tarde, en el momento en que ella exhalaba el último suspiro. Al doctor Suñé, que acudió a darles el pésame, le dijeron que habían dejado de ver a su hermana mucho tiempo atrás, cuando ella, siendo aún una niña, había abandonado la casa paterna para ingresar en el noviciado; al entrar en religión había cortado todo vínculo con la familia, dijeron; desde entonces sólo se habían producido entre ellos cuatro o cinco reencuentros espaciados, fugaces y siempre por motivos luctuosos. Por esta razón, confesaron, la desaparición de su hermana no les había entristecido demasiado. Pese a todo, en el transcurso del funeral el menor de los hermanos no pudo reprimir los sollozos en varias ocasiones y en el cementerio ambos estaban visiblemente conmovidos. Antes de partir preguntaron si la enfermedad o el entierro de su hermana habían ocasionado algún gasto, en cuyo caso, dijeron, ellos lo sufragarían. Les respondieron que no, que la orden religiosa corría con todos los gastos y esta respuesta acabó de sumirlos en un estado de gran desconsuelo. Pobre Constanza, dijeron, era nuestra hermana pequeña, pero nunca pudimos hacer nada por ella, ni siquiera ahora.

Aquella tarde, cuando el doctor Suñé se disponía a regresar a su casa después del sepelio, una enfermera le entregó una carta que, según dijo, había sido encontrada en la habitación de sor Consuelo por el equipo de limpieza y desinfección. Aunque se trataba de un objeto personal de la difunta, añadió la enfermera, la carta iba dirigida al doctor Suñé, por lo que había estimado oportuno entregársela a éste sin decir nada a la dirección del centro ni a los hermanos de aquélla. El doctor Suñé aprobó esta decisión y se llevó la carta a su casa, donde procedió a leerla sin demora. Estaba escrita con letra temblorosa, no siempre legible, y decía así: Ayer tarde, en el huerto de casa Aixelà, usted mostró una natural curiosidad por saber qué me había compelido tan poderosamente a visitar esa finca in articulo mortis, por así decir, y yo no fui capaz de corresponder con la sinceridad a la generosidad y gentileza que usted había mostrado al atender mi ruego. Lo cierto es que me negué a contarle lo que allí había ocurrido en cierta ocasión movida por un pudor tanto más absurdo ahora cuanto que en dicha ocasión, cuando precisamente debí haberlo tenido, no lo tuve. Lo que ocurrió, continuaba diciendo la carta, es muy simple: Allí, hace ya muchos años, perdí primero la cabeza y luego el honor entre los brazos de un hombre por cuyo amor habría abandonado la vida religiosa de no haber interpuesto Dios en mi camino Su inapelable Voluntad. La carta, escrita con más prisa que cuidado, sin duda bajo el apremio de unas facultades menguantes, seguía diciendo: Esto sucedió el año del diluvio: después de una larga sequía los cielos se abrieron y grandes lluvias asolaron la región; en Bassora se hundieron fábricas y casas, muchas familias se quedaron sin hogar y algunas personas perdieron la vida en la catástrofe, pero a mí todo aquello me daba igual, porque la brisa que entraba por la ventana del gabinete traía del jardín el aroma puro y alegre de las flores. Tal vez, añadía, habríamos podido ser felices si no se hubieran conjurado para separarnos todos los elementos naturales y una serie de acontecimientos fortuitos y terribles por añadidura. Yo no acudí aquella noche a la cita como había prometido porque sucesos sangrientos que aún tiemblo al recordar me impidieron cumplir mi promesa y mi deseo. Cuando finalmente llegué a la casa ya era tarde, él se había ido. El resto de mi vida ha sido una larga y callada falsedad: después de muchos años sigo refugiada en el cálido recuerdo del único momento de intimidad que me ha sido concedido en este mundo. Sin él no sé cómo habría podido soportar tanta soledad. Ahora ha llegado al fin el momento de rendir cuentas al Altísimo y lo afronto con miedo; confío en Su Misericordia Infinita, pero tiemblo al pensar en el rigor de Su Justicia, a la que he pretendido en vano burlar todos estos años, confesando mil veces el pecado, pero nunca la culpa, porque aún sigo allí, bañada por la delicada luz de aquella tarde de verano, sobrecogida y aletargada, indiferente a todo, aunque bien sé que es esta arrogante y empecinada insumisión lo que ha de condenarme. Los últimos párrafos de la carta, redactados con las fuerzas ya muy disminuidas, resultaban apenas comprensibles. Algunas frases o fragmentos de frase parecían escritos con más firmeza, pero su sentido seguía siendo oscuro. El sufrimiento, la dicha y pasión son sólo un sueño, decía en mitad de un párrafo, sin que viniera a cuento. Y otro, escrito en caracteres apenas descifrables, parecía decir: Siempre me ha dado miedo la eternidad; me la imagino como algo inmenso, poco propicio a los reencuentros; y si en efecto es así y nunca jamás hemos de volver a vernos, quiero que sepas, amor mío, que siempre te he querido y siempre te querré. A este incoherente y extemporáneo testimonio seguían todavía unos renglones cubiertos de simples garabatos, como si la mano que los había trazado hubiese continuado ejecutando el gesto mecánico de la escritura después de que el espíritu que la gobernaba hubiese franqueado ya las lindes de este mundo.

Impreso en el mes de septiembre de 1994
en Talleres Gráficos DUPLEX, S. A.
Ciudad de Asunción, 26
08030 Barcelona

Impreso en el mes de septiembre de 1994
en Talleres Gráficos DUPLEX, S. A.
Ciudad de A[illegible]ción, 26
080[illegible] [illegible]lona